paris/est/à/nous/

Paris Gourmandises

Hélène et Irène **Lurçat**

PARIGRAMME

Pour notre mère,
qui nous a donné le goût
des bonnes choses.

Remerciements

Nous remercions les chefs pâtissiers, glaciers et chocolatiers qui nous ont aimablement reçues ; et nos amis qui nous ont conseillées, Thierry Laval, tout particulièrement.

Tous nos efforts pour vous donner la meilleure information possible n'empêcheront jamais la Terre de tourner et certaines adresses de changer entre le moment où nous mettons sous presse et celui où vous tiendrez ce guide entre vos mains.
N'hésitez pas à nous écrire pour nous faire part de vos remarques :
parisestanous@parigramme.fr

Collection dirigée par Sandrine Gulbenkian et Jean-Christophe Napias

Sommaire

Les horaires d'ouverture des boutiques sont susceptibles de changer. Il est préférable de les vérifier par téléphone avant de vous déplacer.

Un peu de douceur dans un monde de brutes

Un gâteau, c'est aussi bien le pain au chocolat que l'on offre à son enfant en sortant de l'école, que la création insolite d'un grand chef. Il existe en France deux traditions distinctes : la pâtisserie boulangère fabriquée par les boulangeries de quartier, qui comprend en général la viennoiserie et quelques gâteaux traditionnels (les choux, les éclairs, les religieuses, les tartes, les meringues, les mokas...), et la pâtisserie fine, œuvre de spécialistes, parfois chocolatiers ou glaciers.

Cette distinction est très marquée, même si certaines boulangeries de quartier se sont élevées à un très bon niveau de raffinement et de qualité, et qu'à l'inverse, les très grands pâtissiers proposent de plus en plus des pains spéciaux et les classiques de la viennoiserie. Mais entre un produit acheté à la hâte et souvent préparé avec des ingrédients industriels, et le gâteau d'un grand pâtissier parisien, il y a une différence irréductible. La pâtisserie des grands pâtissiers est un produit de luxe, au même titre que la gastronomie ou la haute couture, tout en restant abordable : n'importe qui peut s'offrir un gâteau exquis à 4 €, alors que le commun des mortels n'aura peut-être jamais accès à la table d'un triple étoilé...

Longtemps, on a considéré que la pâtisserie était la partie la moins noble de la gastronomie. On parlait de goûts liés à l'enfance, avec un peu de dédain, comme si le salé était l'affaire des adultes gastronomes. Et pourtant, un chocolat amer peut inviter au voyage des sens, nos pâtissiers ayant développé de manière remarquable l'art des variations autour d'un même produit, l'exploration des saveurs sucrées est infinie. Une simple tarte aux pommes peut avoir des goûts très différents, selon

qu'elle est faite avec une pâte sablée, brisée ou feuilletée, agrémentée de compote de pommes, de gelée, de crème d'amandes, de crème pâtissière ou de crème Chiboust ; ou encore selon le choix de la variété de pomme, le mode de cuisson…
La pâtisserie française est d'une variété extraordinaire. Elle est riche des créations de chaque région et fait siennes des spécialités étrangères, en les adaptant. La capacité de renouvellement qu'elle possède n'a d'égal que son conservatisme. Certaines recettes datent ainsi de temps reculés, comme celle de la fouace, une brioche parfumée à la fleur d'oranger, à l'origine, une galette de fine fleur de froment, non levée et cuite sous la cendre dont Rabelais donne la recette dans Gargantua : "fleur de farine délayée avec de beaux moyeux [jaunes] d'œufs et du beurre, beau safran et belles épices et eau". Le mirliton ou le montmorency sont également des recettes très anciennes.
Comme toutes les grandes traditions artisanales, la pâtisserie a ses amateurs. Ils font naître les modes et entretiennent les nostalgies. Leur plus grande déception est de trouver fermée une maison réputée, du jour au lendemain, sans avoir perçu les signes annonciateurs de cette disparition, des institutions si bien installées dans notre paysage gastronomique qu'on les croirait faites pour l'éternité.
Il y a quelques années, une halte à Passy comprenait un passage obligé : la visite chez Coquelin Aîné. Les puits d'amour y étaient délicieusement feuilletés, et les petits-fours subtils. La place de Passy est un peu terne à présent… Rue Saint-Jacques, vers l'église du Haut-Pas, il y avait une pâtisserie traditionnelle dont la seule présence suffisait à justifier l'amour que nous portons à ce quartier : les Cornets de Murat. Les tartes salées ou sucrées y étaient fameuses, tout comme les éclairs au chocolat, les glaces et les sorbets. En cette époque révolue, la maison Dalloyau, face au jardin du Luxembourg, s'appelait Pons. Sans nul doute, les mets étaient moins colorés que ceux qu'on y trouve à présent : le macaron était presque austère. Mais il a gardé dans notre souvenir une saveur particulière, celle de nos après-midi d'enfants…

Au début du siècle, chaque quartier de Paris possédait sa confiserie, avec des bonbons et biscuits régionaux que l'on retrouvait partout. Ce genre de boutiques a quasiment disparu dans les années 1960 et 1970 et, avec elles, un peu de notre mémoire gourmande. Alors, ne laissez pas la tradition, en matière de confiserie comme en pâtisserie, se perdre : apprenez autant que possible à vos enfants qu'un bâton de sucre de pomme vaut mieux qu'un bonbon chimique.

Quelques noms pour se souvenir

→ Paul Bugat, boulevard Beaumarchais (4e).
→ Pottier, rue de Rivoli (4e).
→ Les Cornets de Murat, rue Saint-Jacques (5e).
→ Lerch, rue du Cardinal-Lemoine (5e).
→ Pons, place Edmond-Rostand (6e).
→ Louapre, rue de Grenelle (7e).
→ Bourdaloue, rue Bourdaloue (9e).
→ Le Roi Dagobert, derrière la gare de l'Est (10e).
→ Au Palais d'Or, rue de la Tombe-Issoire (14e).
→ Calabrese, rue d'Odessa (14e).
→ Jean Moreau, rue Daguerre (14e).
→ Coquelin Aîné, place de Passy (16e).
→ Le Sorbet de Paris, rue des Alouettes (19e).

Les tendances de la nouvelle pâtisserie

La pâtisserie devient de plus en plus complexe, pour notre grand plaisir. La tendance durable est de réduire le sucre au maximum tout en travaillant davantage les textures, les structures, l'alliance texture/saveur/température : la perception d'un goût sucré dépend, tout comme celle du vin, de la température à laquelle on le goûte. D'autre part, le mélange des goûts ne joue plus forcément sur les oppositions : on peut ainsi allier des goûts proches en jouant sur les nuances. C'est ainsi que la pistache peut être associée à de l'amande amère qui relèvera subtilement son goût, sans qu'on la reconnaisse à part entière. Le citron peut "pousser" la saveur de l'abricot ou du basilic et la chaleur du poivre mettra en valeur le goût des fruits. On ne fait plus un usage excessif de la mousse comme dans les années 1980, mais on l'associe différemment en y ajoutant davantage de biscuit éventuellement enrichi de fruits, de praliné ou de céréales. L'usage d'ingrédients inédits est de mise, comme le basilic, les pétales de rose, la violette, les fleurs de sureau ; ces ingrédients présentent l'avantage d'avoir des saveurs moins intenses que les fruits et de varier ainsi la palette des goûts. Dans une quête sans fin d'originalité, on a vu apparaître des "desserts au verre" chez Pierre Hermé, Boissier et d'autres encore. Ce type de desserts cristallise l'ambition de la pâtisserie moderne : offrir un produit unique, inimitable, en jouant sur le contraste des textures (crèmes, biscuits, gelées, émulsions) et des saveurs, mêler les goûts rassurants de notre enfance (riz au lait) avec d'autres, plus déroutants (gelées de café à l'orange, de citron vert à la menthe), le tout avec brio et légèreté.

Pour parfaire ces moments délicieux, attention à l'accessoire : le breuvage qui accompagne les gâteaux. On ne lave plus les théières (on les ébouillante et on les rince) tout comme on ne laisse plus les feuilles de thé à l'intérieur (on les ôte après infusion). Le thé vert du Japon accompagne à merveille les gâteaux, et pas seulement ceux de chez Toraya. Certaines tisanes composées (mélisse-fleur d'oranger, cannelle-menthe) conviennent à des mets subtils. Et cela s'applique aussi bien aux pâtisseries qu'aux desserts servis en assiette dans les restaurants où certains grands pâtissiers officient. Au diable les régimes, à vous les délices !

Maison exceptionnelle. (4 bonbons)

Maison excellente. (3 bonbons)

Maison très bonne. (2 bonbons)

Maison assez bonne où de bons produits côtoient des produits plus ordinaires. (1 bonbon)

1

Où déguster babas, croissants et mille-feuilles à tomber ?

1er arrondissement

Angelina

226, rue de Rivoli • M° Tuileries • Tél. 01 42 60 82 00
Ouvert du lundi au vendredi de 8h à 19h, les samedi et dimanche de 9h à 19h
Autre adresse :
→ Palais des Congrès, 2, place de la Porte-Maillot, 17e
M° Porte-Maillot • Tél. 01 40 68 22 50

Anciennement maison Rumpelmeyer, elle était fréquentée par Marcel Proust et l'est aujourd'hui par nombre de touristes et de gens de goût. Angelina est situé juste en face du jardin des Tuileries. Ce salon de thé à la classe désuète est connu pour son excellent mont-blanc, mais on y trouve aussi d'autres spécialités appréciables comme la conversation, le mille-feuille, la forêt-noire, la tropézienne ou le congolais. Le pain aux raisins est préparé à l'autrichienne, avec des fruits confits. La tarte au citron est savoureuse. Le chocolat chaud à l'ancienne, avec du chocolat en tablette fondu, est à goûter une fois dans sa vie pour oublier définitivement la fadeur du Banania et du Benco...

Le Dali d'hiver

Restaurant de l'hôtel Meurice, 228, rue de Rivoli • M° Concorde
Tél. 01 44 58 10 44 • www.meuricehotel.fr
Ouvert tous les jours de 8h30 à 22h • Tea time de 15h30 à 18h30

Il est agréable d'aller prendre le thé à l'hôtel Meurice. Le service est attentif sans être compassé, comme c'est souvent le cas dans les grands hôtels. On trouve différents chocolats chauds : le caraïbes, le guanaja ou le manjari ; six sortes de thés des grands jardins dont un bel assam, le maijian, et cinq thés aromatisés bien choisis, servis selon les règles de l'art dans des théières en porcelaine, et renouvelés à discrétion. Le chef pâtissier, Camille Lesecq, prépare de savoureuses pâtisseries servies sur chariot, ainsi qu'un large choix de cakes, scones et muffins. Ce raffinement n'est par contre pas à la portée de toutes les bourses.

Toraya

10, rue Saint-Florentin • M° Concorde ou Madeleine
Tél. 01 42 60 13 00 • www.toraya-group.co.jp/paris
Ouvert du lundi au samedi de 10h30 à 19h

Dans un silence fort agréable et l'élégant décor de bois blond signé Sylvain Dubuisson, initiez-vous à la pâtisserie japonaise à base de farine de riz, de blé, de haricots rouges et d'agar-agar. Les différents gâteaux sont tous admirablement présentés : le Yokan, de forme rectangulaire ; le Monaka, petite sucrerie à base de sucre traditionnel japonais ; les boulettes Rikyu au sucre de canne roux. À chaque saison correspond un gâteau traditionnel, toujours différent d'une année à l'autre, préparé par Futoshi Yoshida. Le choix de thés verts est remarquable. Vous goûterez ainsi le gyokuro (thé doux), le senau (thé classique), le genmaicha (thé au riz grillé), le hocha (thé grillé) et le matcha (thé mousseux à base de poudre de thé vert).

Verlet

256, rue Saint-Honoré • M° Tuileries ou Palais-Royal-Musée-du-Louvre • Tél. 01 42 60 67 39 • www.cafesverlet.com
Ouvert du lundi au samedi de 9h30 à 18h30 • Fermé en août

La belle petite boutique fondée en 1880 est décorée de boiseries et de porcelaines fines, d'anciennes boîtes de thé et de grands sacs de café odorant. Vous y trouverez un choix impressionnant de cafés et de thés, de toutes les provenances : cafés d'Hawaï ou de Java, du Kenya ou d'Éthiopie, de Jamaïque ou de Porto Rico ; thés d'Inde, de Ceylan, de Chine, du Japon, de Formose, du Pakistan, d'Afrique. Ils sont accompagnés d'une agréable sélection de gâteaux de la Pâtisserie Mauclerc : cheese-cake, charlotte au chocolat, forêt-noire, gâteau abricot-amande, strudel aux pommes et crumble à la rhubarbe. L'accueil est charmant.

Voir aussi :

Mariage Frères (4e).
Jean-Paul Hévin (6e).

2e arrondissement

A priori thé

35-37, galerie Vivienne • M° Bourse • Tél. 01 42 97 48 75
Ouvert du lundi au vendredi de 9h à 18h, le samedi de 9h à 18h30, le dimanche de 12h à 18h30

Dans ce beau salon de thé très chic de la galerie Vivienne, les produits sont chers et raffinés. Goûtez les scones, la reine de Saba, les cheese-cakes, les compotes de pommes très fraîches. Les tartes aux fruits – et notamment la tarte framboises-amandes – valent également le détour. Les crumbles et brownies aux deux chocolats sont savoureux, ainsi que le gâteau café-chocolat. Une judicieuse sélection de thés de chez Damann's complète l'ensemble : orange pekoe ceylanais, darjeeling de l'Himalaya, oolong fancy de Formose, thés fumés... Le chocolat chaud à l'ancienne peut être enrichi, si vous le souhaitez, en crème de mascarpone légère à la cannelle ! Une adresse très agréable où il est préférable de réserver. Brunch le dimanche.

Au Panetier

10, place des Petits-Pères • M° Sentier ou Bourse
Tél. 01 42 60 90 23
Ouvert du lundi au vendredi de 7h15 à 19h15

Niché derrière la place des Victoires, Au Panetier présente ses créations dans une vitrine-écrin dont le pain au chocolat blanc est un joyau très convoité des gourmets. La version chocolat au lait et caramel vaut également le détour, tout comme les financiers de la maison, empilés dans des bocaux en verre au-dessus du comptoir. On distinguera tout particulièrement ceux au caramel, aux groseilles ou au chocolat, riches en saveur. Les puristes apprécieront pour leur part la brioche maison fourrée de raisins secs et de pépites de chocolat noir.

Confiserie G. Tetrel

44, rue des Petits-Champs • M° Pyramides • Tél. 01 42 96 59 58
Ouvert tous les jours de 10h à 20h30 • Fermé le dimanche et le lundi matin

Cette confiserie, comme on les trouvait jusqu'à la fin des années 1970 dans tous les quartiers de Paris, pourrait servir de musée ou de modèle ethnographique. La déco n'a pas bougé depuis les années 1950 et l'accueil délicieusement revêche évoque celui des commerçants français d'avant la crise. On y trouve de fines pâtes de fruits artisanales, des chocolats fabriqués à l'ancienne par différents artisans de province et un grand choix de biscuits-croquettes du Val de Loire, macarons tendres nature, gaufrettes, sablés et galettes. Les emballages sont aussi joliment rétro. Et puisque le vendeur affirme que le sucre fait brûler les graisses, il n'y a vraiment aucune raison de se priver !

Confiserie Legrand

1, rue de la Banque (on peut entrer par le 12, galerie Vivienne)
M° Bourse • Tél. 01 42 60 07 12
Ouvert le lundi de 11h à 19h, du mardi au vendredi de 10h à 19h30, le samedi de 10h à 19h

Cet établissement existe depuis la fin du XIXe siècle et la famille Legrand en est propriétaire depuis quatre générations. Le décor d'origine est magnifique. On y trouve des bonbons traditionnels, comme les coquelicots, les sucres d'orge, les froufrous ou encore les nougatines de Nevers. Le fond de la boutique est consacré aux vins et aux alcools. Parmi les boiseries et les miroirs s'offrent les pralines de Montargis, caramels à la noix du Périgord, noisettes de Barbizon, orangettes, plum-plouvier, arlequines du Périgord, quernons d'ardoise d'Angers. Le nougat noir de Provence, d'excellents miels et nonnettes, des pâtes de fruits d'Auvergne, des sirops de fruits artisanaux, une cinquantaine de thés dont plusieurs sortes de thés verts et une sélection de chocolats complètent cette offre généreuse…

Foucher ♦♦

30, avenue de l'Opéra • M° Pyramides • Tél. 01 47 42 51 86
Ouvert du lundi au samedi de 10h à 20h, le dimanche de 13h à 19h

La boutique Foucher est située tout près de l'Opéra, mais il ne s'agit pas d'une adresse pour touristes même si l'on peut y trouver des chocolats plus sucrés qu'ailleurs. La ganache nature, les rochers noirs et au lait (godet noir, godet lait) sont bons, tout comme les cerises au kirsch et les marrons glacés.

Stohrer ♦♦♦

51, rue Montorgueil • RER Les Halles • Tél. 01 42 33 38 20
www.stohrer.fr
Ouvert tous les jours de 7h30 à 20h30

Ouverte en 1730, la magnifique boutique de la rue Montorgueil est un des fleurons de cette rue passante et commerçante. Si la tarte au chocolat est fameuse, le baba au rhum – dont on revendique ici l'invention – ainsi que la grande religieuse, le cake citron, le Nouméa (pâte macaron, ananas frais, banane et biscuit noix-noisette), la tarte bourdaloue, le pommes Chiboust sont remarquables. Les croissants et chaussons aux pommes sont aussi très bons. Conseil d'amies : ne manquez pas l'éclair au chocolat, la tarte aux fraises des bois (que l'on fait venir en toutes saisons des Antilles ou de Malaga) et goûtez les marrons glacés en hiver.

Voir aussi :

Amorino (4e).
Debauve et Gallais (7e).

3e arrondissement

Chocolaterie Jacques Génin

133, rue de Turenne • M° Filles-du-Calvaire
Tél. 01 45 77 29 01
Ouvert du mardi au dimanche de 11h à 20h
Jacques Génin, ancien de la Maison du chocolat et favori des hauts lieux de la gastronomie parisienne comme le Plaza Athénée ou le Meurice pour ses créations chocolatées originales, a ouvert en décembre 2008 cette boutique-salon de thé de 180 m², en plein cœur du Marais. La décoration intérieure, qui conjugue vieilles pierres, tables en bois laqué et éclairage design, est à l'image de ses produits, un savant dosage entre authenticité et raffinement. Les merveilleux caramels, nougats et chocolats qui s'exposent dans leur écrin de verre sont confectionnés à l'étage dans un vaste atelier de 420 m², où le chef marie les goûts, les textures et les couleurs jusqu'à obtenir l'harmonie parfaite. Les grands crus de chocolat sont travaillés avec des infusions de plantes fraîches ou d'épices qui subliment l'intensité du cacao. Les guimauves, aromatisées à la rose ou à la violette, se prêtent parfois à des accords inattendus avec une pointe de piment d'Espelette. Quant aux classiques (mille-feuille, éclair au chocolat ou au caramel), ils retrouvent leurs lettres de noblesse grâce au soin méticuleux accordé à la qualité et à la fraîcheur des produits qui obligent le chef à renouveler ses fournées plusieurs fois par jour.
Le lundi, la boutique est fermée, mais Jacques Génin ouvre son atelier sur rendez-vous pour des démonstrations.

Joséphine Vannier Chocolat artisanal

4, rue du Pas-de-la-Mule • M° Bastille • Tél. 01 44 54 03 09
www.chocolats-vannier.com
Ouvert du mardi au samedi de 11h à 13h et de 14h à 19h,
le dimanche de 14h30 à 19h

En entrant dans cette petite boutique aux murs blanchis et aux poutres apparentes, on est immédiatement saisi par l'odeur puissante et réconfortante du chocolat. Ici, ce sont surtout les "pièces" en chocolat qui sont à l'honneur. Toutes les cinq semaines, une nouvelle collection est proposée qui suit l'actualité au plus près, sur des thèmes comme les fêtes, le sport ou la musique (on trouve notamment un petit piano en chocolat minutieusement monté à la main). Nous avons même admiré des tableaux en chocolat peints par des peintres de leurs amis et une collection de masques africains. La gamme des bonbons en chocolat n'est pas très étendue, mais savoureuse et intéressante, comme la ganache tequila au goût puissant. Il ne faut pas manquer la cerise amarena enrobée, probablement la meilleure que nous ayons jamais goûtée, peut-être parce que les patrons cueillent eux-mêmes leurs cerises ! On vend aussi des glaces artisanales de très bonne qualité. Cette maison mérite une visite, d'autant que les prix sont incroyablement bas.

Pain de Sucre

14, rue Rambuteau • M° Rambuteau • Tél. 01 45 74 68 92
www.patisseriepaindesucre.com
Ouvert le lundi et du jeudi au samedi de 10h à 20h,
le dimanche de 10h à 19h

Il n'a pas fallu beaucoup de temps à Didier Matray et Nathalie Robert pour asseoir leur réputation et conquérir les gourmands du Marais et d'ailleurs. La vitrine, à elle seule, suscite l'admiration... On tombe en arrêt devant les magnifiques tartes carrées aux figues ou aux framboises, les bocaux de guimauves colorées, les éclairs poudrés et les verrines. Ces deux jeunes pâtissiers allient la passion, une créativité débridée et une recherche de perfection pour le choix des matières premières.

Goûtez l'éclair Juliette (un crumble aux framboises, crème mousseline à la framboise et à l'eau de rose), l'Éphémère (un biscuit meringué à la noisette avec pulpe de cassis et crémeux à la noix de coco), la Tentation (une tarte aux framboises agrémentée de crème d'amandes pistache et citron vert) ou encore la girandole (tarte aux figues dont la saveur est relevée par une gelée au café). Parmi les macarons, on retiendra surtout celui à la menthe et au chocolat, dont le goût et la consistance sont particulièrement réussis (ah, la fine tablette de chocolat noir !) Les verrines sont ultra-sophistiquées : foncez sur la Pablito, à la pulpe de pomme verte et coriandre fraîche, rhubarbe, crémeux à la fleur d'oranger et fraise des bois ! Les autres mélanges sont parfois un peu plus aventureux... à vous de juger.
Parmi le choix de douceurs maison, ne manquez pas les divins spéculoos et les calissons carrés aux oranges confites et à la pistache, ou encore les subtiles feuilles de menthe ou de coriandre cristallisées. Offrez aux enfants une guimauve enrobée de chocolat et de sucre pétillant, pour voir leurs yeux s'allumer... Ne repartez surtout pas sans un pain de Venise, moelleux à souhait.

Voir aussi :
Cacao et Chocolat (6e).
Gérard Mulot (6e).
Le Palais des thés (14e).

4e arrondissement

Amorino

47, rue Saint-Louis-en-l'Île • M° Pont-Marie • Tél. 01 44 07 48 08
www.amorino.fr
Ouvert tous les jours de 12h à minuit
Autres adresses :
→ 82, rue Montorgueil, 2e • M° Sentier • Tél. 01 45 08 92 58
→ 31, rue Vieille-du-Temple, 4e • M° Rambuteau
Tél. 01 42 78 07 75
→ 16, rue de la Huchette, 5e • M° Saint-Michel
Tél. 01 43 54 73 64
→ 22, rue Soufflot, 5e • RER Luxembourg • Tél. 01 55 42 09 56
→ 4, rue de Buci, 6e • M° Mabillon • Tél. 01 43 26 57 46
→ 4, rue Vavin, 6e • M° Notre-Dame-des-Champs
Tél. 01 42 22 66 86
→ 17, rue Daguerre, 14e • M° Denfert-Rochereau
Tél. 01 43 20 15 78

Un spécialiste des gelati e delizie d'Italia rue Saint-Louis-en-l'Île, dans le fief Berthillon ! Pari risqué… et gagné ! Ici, vous répète la responsable des lieux avec un grand sourire, tout est frais du jour… et rien n'est gardé. Admirez les glaces al limone, zabaione, pistacchio, frutto di bosco, goûtez le fameux sorbet à la banane ou la mousse glacée à l'amarena variegato all'amarena, plongez votre cuillère italienne dans votre coupe de stracciatella en écoutant de la musique italienne et laissez-vous dépayser. D'autant que les foccacine, les brioches dans lesquelles on peut glisser une boule de glace (à tester si vous avez beaucoup d'appétit) viennent d'Italie.

Berthillon

31, rue Saint-Louis-en-l'Île • M° Pont-Marie
Tél. 01 43 54 31 61 • www.berthillon.fr
Ouvert du mercredi au dimanche de 10h à 20h • Fermé en août

On ne présente plus Berthillon, le glacier qui provoque des cohues dans la rue Saint-Louis-en-l'Île au cœur de l'hiver et s'offre le luxe de fermer tout l'été. La texture extrêmement fine de ses glaces et de ses sorbets, leur qualité encore artisanale malgré une diffusion de plus en plus large, la variété des parfums et la qualité de la plupart d'entre eux ont contribué à la notoriété de cette maison. Goûtez le pain d'épices, le marron glacé, l'excellent cassis – très fort, avec un arrière-goût – ou la pêche-menthe, une nouveauté de la maison, déjà classique. La vanille est également fameuse, ainsi que le gianduja, la mirabelle, la goyave, le corossol, le citron vert ou la fraise des bois. Certains parfums ne sont pas toujours à la hauteur de l'ensemble : la poire et le melon, par exemple, ont peu de goût. En été, rassurez-vous, de nombreux revendeurs sur l'île prennent la relève pendant les vacances.

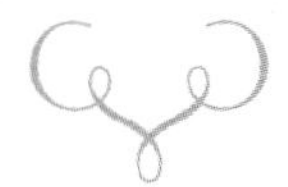

La Charlotte de l'Isle

24, rue Saint-Louis-en-l'Île • M° Pont-Marie • Tél. 01 43 54 25 83
Ouvert du jeudi au dimanche de 14h à 20h
Spectacles de marionnettes le mercredi sur réservation

Derrière la façade mauve et la vitrine de théières amusantes se cache un salon de thé au décor baba cool. Devant une table basse, on déguste des gâteaux aux prix tout à fait abordables pour le quartier, et très savoureux, en buvant un thé de bonne qualité. Goûtez le florentin, le gâteau au chocolat, les tartes aux fruits, le gâteau aux carottes et celui au gingembre. Évitez de venir le week-end, la foule s'y précipite. Le mercredi, la Charlotte accueille des spectacles de marionnettes.

Florence Kahn

24, rue des Écouffes • M° Saint-Paul • Tél. 01 48 87 92 85
Ouvert tous les jours de 10h à 19h • Fermé le mercredi
Vous trouverez ici toutes sortes de délicieux gâteaux, comme on en mangeait chez les Juifs de Pologne et d'Europe centrale. Les matières premières irréprochables, la grande fraîcheur et le savoir-faire donnent des pâtisseries au goût inimitable. Les gâteaux au fromage blanc, à la fois denses et légers, sont très moelleux. Les divers apfelstrudel, toujours à base de pommes parfumées à la cannelle, mais parfois accompagnés de noix hachées, d'écorces d'oranges ou de raisins secs, sont tous excellents. Essayez aussi le gâteau au pavot, au goût très puissant (à notre avis le meilleur de Paris), le gâteau à la figue, le gâteau chocolat-framboise et le roulé aux noix. Pendant les fêtes de Pessah (la Pâque juive) on trouve d'irrésistibles macarons aux pures amandes, collés sur des feuilles de papier. Une maison hors modes.

Le Loir dans la théière

3, rue des Rosiers • M° Saint-Paul • Tél. 01 42 72 90 61
Ouvert tous les jours de 9h30 à 19h
Un autre salon de thé à la déco gentiment baba cool, inspirée de Lewis Carroll. Dans de profonds fauteuils, on boit du bon thé accompagné de quelques pâtisseries généreuses : le crumble aux pommes, le gâteau pommes-noix-cannelle, la tarte au citron meringuée, le fondant au chocolat parfumé à l'orange, le tout dans une ambiance agréable, alanguie.

Mariage Frères

30-32, rue du Bourg-Tibourg • M° Hôtel-de-Ville
Tél. 01 42 72 28 11 • www.mariagefreres.com
Ouvert tous les jours de 12h à 19h
Autres adresses :
→ 260, rue du Faubourg-Saint-Honoré, 1er • M° Ternes
Tél. 01 46 22 18 54
→ 13, rue des Grands-Augustins, 6e • M° Saint-Michel
Tél. 01 40 51 82 50

Un salon de thé de référence pour connaisseurs ou débutants désireux d'apprendre à connaître et reconnaître quelques-uns des cinq cents thés disponibles en provenance du monde entier. Laissez-vous guider et dégustez les mélanges maison, raffinés au possible. De plus, vous trouverez des scones et un petit choix de pâtisseries, comme le coup de soleil, la tarte Tatin, les tartes au darjeeling et au chocolat, pour accompagner le thé – et non l'inverse –, ainsi qu'un superbe choix de produits d'épicerie à base de thé : chocolats, bonbons, sablés, gelées. Tout cela dans un décor colonial et une atmosphère raffinée, voire un peu compassée.

Voir aussi :

Jadis et Gourmande (5e).
Cacao et Chocolat (6e).
Dalloyau (6e).

5e arrondissement

La Fourmi ailée

8, rue du Fouarre • M° Maubert-Mutualité • Tél. 01 43 29 40 99
Ouvert tous les jours de 12h à minuit

Ce salon de thé aux allures de bibliothèque est très agréable ; on s'y sent à l'aise sous les hauts plafonds et, quand les premiers froids se font sentir, on apprécie particulièrement la cheminée. La pâtisserie a un petit côté fait maison comme la tarte bourdaloue (poires et noix), la tarte aux pommes bonne femme, l'apfelstrudel ou la tarte au citron sur lit de pruneaux. Le nougat glacé au coulis de fruits rouges n'est pas mal du tout. Le thé (darjeeling, douchka, grand assam), bien que servi en vrac dans de petites théières, n'est pas extraordinaire.

Jadis et Gourmande

88, boulevard de Port-Royal • RER Port-Royal
Tél. 01 43 26 17 75 • www.jadisetgourmande.fr
Ouvert du lundi au mercredi de 9h30 à 19h, du jeudi au samedi de 9h30 à 19h30, le dimanche de 11h à 18h
Autres adresses :
→ 39, rue des Archives, 4e • M° Hôtel-de-Ville ou Rambuteau
Tél. 01 48 04 08 03
→ 27, rue Boissy-d'Anglas, 8e • M° Concorde
Tél. 01 42 65 23 23
→ 49 bis, avenue Franklin-D.-Roosevelt, 8e
M° Franklin-D.-Roosevelt • Tél. 01 42 25 06 04

À Jadis et Gourmande, on mise sur la créativité pour répondre à toutes les demandes chocolatées (messages en chocolat, constructions, reproductions de logos). On y trouve des tresses à base d'oranges confites, de nougatine pilée et de chocolat à 70 % de cacao ainsi que des nattes de chocolat – noir ou au lait – et de fruits secs. Le palet nature, la ganache fondante, le praliné lait ou noir, le piémontais à la crème de noisette ou le jarnac (ganache lait au cognac) sont des classiques, à déguster.

Mavrommatis

47, rue Censier • M° Censier-Daubenton • Tél. 01 45 35 96 50
www.mavrommatis.fr
Ouvert tous les jours de 9h à 21h30
Autres adresses :
→ Lafayette Gourmet, 48-52, boulevard Haussmann, 9e
M° Havre-Caumartin • Tél. 01 53 20 05 00
→ Galeries gourmandes, Palais des Congrès, 2, place de la Porte-Maillot, 17e • M° Porte-Maillot • Tél. 01 56 68 85 50

La succursale traiteur du célèbre restaurant grec regorge de délicieuses spécialités salées et sucrées, fort bien présentées. Goûtez le baklava, le kataifi, les loukoums (rose, miel-noix, pignons), le cigare aux noix de cajou et aux pistaches, le kourabiédès (à la fleur d'oranger) ou encore les sablés fourrés aux noix, aux pistaches ou aux dattes pour un voyage doux comme la Méditerranée...

The Tea caddy

14, rue Saint-Julien-le-Pauvre • M° Saint-Michel
Tél. 01 43 54 15 56 • www.the-tea-caddy.com
Ouvert tous les jours de 11h à 19h

Un vrai salon de thé à l'anglaise avec ses vitraux à croisillons et ses boiseries foncées, créé en 1928 par une lady francophile. L'ambiance est feutrée et les tables rares (difficile de trouver une place par un samedi pluvieux). Si vous avez lutté contre les intempéries, vous pouvez vous régaler d'œufs brouillés, mais pour accompagner votre earl grey ou votre lapsang souchong, servis dans des théières en faïence anglaise, choisissez plutôt les toasts à la cannelle, à moins que vous ne soyez plutôt apple pie-crème fraîche, buns ou cake aux fruits... Un must récent : les scones du Devon, servis avec la double cream et de la confiture maison à la fraise... Pas très antioxydant, mais fort savoureux !

Voir aussi :

Amorino (4e).
Sadaharu Aoki (6e).

6e arrondissement

La Bonbonnière de Buci

12, rue de Buci • M° Mabillon • Tél. 01 43 26 97 13
www.bonbonnieredebuci.com
Ouvert tous les jours de 8h à 21h

Dans cette petite boutique résolument d'un autre âge, les pâtisseries ne sont peut-être pas présentées avec tout le faste possible, mais le maître des lieux, Pierre Marandon, s'enorgueillit de n'utiliser que des fruits frais pour ses réalisations et de confectionner les meilleurs palmiers de Paris. Et, de fait, ceux-ci, fondants et gorgés de beurre, méritent assurément le titre qu'il leur décerne. Mais, si le mille-feuille est votre pâtisserie préférée, la Bonbonnière de Buci sera votre éden : c'est la spécialité de la maison. Celle-ci en propose pas moins de dix sortes différentes, classiques ou créations originales, telles que le poire-caramel, le mille-feuille à la praline, au kirsch, au Grand Marnier, ou encore aux framboises et à la crème fouettée. Une tentation à déguster, pourquoi pas, dans le petit salon de thé situé à l'étage.

Les Bonbons

6, rue Bréa • M° Vavin • Tél. 01 43 26 21 15
Ouvert du mardi au samedi de 10h30 à 13h30 et de 14h30 à 19h30

La patronne de cette minuscule boutique est une fervente militante du bonbon traditionnel. Elle a une connaissance impressionnante de la chose sucrée et se fournit chez les artisans de province. On trouve ici des perles sucrées comme le caramel mou de Biarritz, le négus de Nevers (caramel mou dans du caramel dur), l'anis de Berck, le berlingot de Carpentras, la forestine de Bourges (praliné dans un sucre feuilleté), les violettes de Toulouse ou le cotignac d'Orléans (pâte de coings). La bergamote de Montargis, les caramels au beurre salé, les fondants à l'ancienne, les coussins et cocons de Lyon ne sont pas en reste. Choix de thés et de miels intéressant. Un lieu de recueillement pour les nostalgiques.

Cacao et Chocolat

29, rue de Buci • M° Odéon • Tél. 01 46 33 77 63
www.cacaoetchocolat.com
Ouvert du lundi au samedi de 10h30 à 19h30, le dimanche de 11h à 19h
Autres adresses :
→ 36, rue Vieille-du-Temple, 3e • M° Hôtel-de-Ville
Tél. 01 42 71 50 06
→ 63, rue Saint-Louis-en-l'Île, 4e • M° Pont-Marie
Tél. 01 46 33 33 33

Hommage ici aux Aztèques sans qui nous ne connaîtrions pas la fève magique... Les différents chocolats reprennent la thématique : le Telpica (ganache aux raisins macérés dans du rhum), le Talenqué (ganache au gingembre), le Meloso (miel noir), le Takali (praliné feuilleté et citron) et le Sirnela (ganache aux pruneaux). Vous pouvez aussi vous installer tranquillement au petit comptoir pour boire un café ou un chocolat chaud maison et goûter une pâtisserie : éclairs au chocolat noir, au lait, blanc, noir-café, macarons vanille ou poire-rose.

Christian Constant

37, rue d'Assas • M° Rennes ou Saint-Placide
Tél. 01 53 63 15 15
Ouvert du lundi au vendredi de 9h30 à 20h30, les samedi et dimanche de 9h à 20h • Salon de thé au 18, rue de Fleurus

Depuis des années, ce précurseur a choisi de peu sucrer ses gâteaux, pour que le goût n'en soit pas dissimulé. Il excelle dans la tarte à la banane (la Sonia Rykiel), le fraisier, le coup de soleil, le mille-feuille aux poires et à la vanille, le gâteau au fromage blanc et à la framboise et les gâteaux au chocolat. Sa tarte au chocolat reste une référence ; le Fleur de Chine (légère mousse au chocolat amer et crème croustillante de thé vert au jasmin) est surprenant, tout comme le Soleil noir (chocolat et cannelle). La glace à la vanille de Tahiti respecte et magnifie le goût de la vanille, les sorbets à la pêche blanche et à la framboise donnent le meilleur du fruit. La glace au lait d'amandes, la glace au gingembre confit et au safran, celle à la chicorée et aux grains de carvi, le sorbet rouge et noir (cacao et framboise) valent le détour ainsi que le soufflé glacé Rothschild, aux fruits confits et au Cointreau. Les sorbets exotiques n'ont rien à envier aux spécialistes des fruits rares, puisqu'on trouve des sorbets au kalamansi ! Si Constant fait aussi des confitures (la mirabelle, la fraise, l'abricot-amandes, le coing méritent qu'on s'y arrête), les chocolats sont sa spécialité. Ils sont classés en différentes lignes : fleurs et arômes, épices, alcools et liqueurs, fruits secs ou spécialités de toujours. Goûtez la ganache nature, le conquistador (noisettes, miel, cannelle), le chocolat à l'ylang-ylang des Comores, celui aux fleurs d'oranger ou à la vanille de Tahiti ou les tablettes à 80 % de cacao.

Dalloyau

2, place Édmond-Rostand • RER Luxembourg • Tél. 01 43 29 31 10
www.dalloyau.fr
Ouvert tous les jours de 9h à 20h30
Autres adresses :
→ 5, boulevard Beaumarchais, 4e • M° Bastille
Tél. 01 48 87 89 88
→ 63, rue de Grenelle, 7e • M° Sèvres-Babylone
Tél. 01 45 49 95 30
→ 101, rue du Faubourg-Saint-Honoré, 8e
M° Saint-Philippe-du-Roule • Tél. 01 42 99 90 00
→ Lafayette Gourmet, 48-52, boulevard Haussmann, 9e
M° Havre-Caumartin • Tél. 01 53 20 05 00
→ 69, rue de la Convention, 15e • M° Boucicaut
Tél. 01 45 77 84 27
→ Atrium du Palais des Congrès, 17e • M° Porte-Maillot
Tél. 01 40 68 10 04

Dans la belle boutique face au Luxembourg, les produits sont très bien présentés. L'opéra (biscuit aux amandes, fourré café et chocolat, glacé au chocolat et décoré à la feuille d'or) est un des classiques de la maison tout comme le régal chocolat (un biscuit chocolat parfumé à la vanille, avec une mousse au chocolat amer et une chantilly légère au chocolat). Ne manquez pas le saint-honoré dans sa version classique, souvent imité, jamais égalé ! Avec des variantes à la framboise, au praliné ou aux marrons, les tartes aux fruits, fabriquées par Pascal Niau, sont simples et bonnes ; les macarons sont savoureux et plutôt riches. Les glaces sont rafraîchissantes, sans que leur parfum soit convaincant. Les bonbons traditionnels, comme le palet d'or ou le pralinas (au chocolat noir) sont les valeurs sûres de la maison. L'accueil un peu distant évoque celui d'un magasin de luxe.

Fabien Ledoux

12, rue Mabillon • M° Mabillon • Tél. 01 43 54 16 93
Ouvert du mardi au samedi de 7h à 20h, le dimanche de 7h à 19h30

Difficile de rivaliser avec le tout proche Mulot, mais cette pâtisserie classique a su trouver ses adeptes dans le quartier, surtout à l'heure du déjeuner. Ses tartes aux fruits sont très bonnes, notamment la rafraîchissante tarte au pamplemousse et le plaisir (mousse au chocolat et bavaroise vanille) porte bien son nom. Goûtez aussi la dacquoise noisette, le kenzo (une mousse praliné biscuit agrumes) ou la mousse au chocolat-abricot agrémentée de pain d'épices : un délice !

Gérard Mulot

76, rue de Seine • M° Mabillon • Tél. 01 43 26 85 77
www.gerard-mulot.com
Ouvert tous les jours de 6h45 à 20h • Fermé le mercredi
Autres adresses :
→ 6, rue du Pas-de-la-Mule, 3e • M° Chemin-Vert
Tél. 01 42 78 52 17
→ 93, rue de la Glacière, 13e • M° Glacière • Tél. 01 45 81 39 09
La magnifique boutique de Gérard Mulot, à deux pas du marché Saint-Germain, continue d'enchanter les gourmands de la rive gauche. Les clafoutis aux fruits servis au poids, les tartes au citron meringuées, les excellentes tartes à l'orange, le croissant aux amandes légèrement alcoolisé, le fraisier, la tarte aux poires, les macarons (le Passion-basilic ou le Fraise-coquelicot sont des nouveautés) et la tarte au chocolat n'ont pas pris une ride. Goûtez le Délice de Ninon, le mille-feuille, les entremets au chocolat (Jour et nuit, Magie noire au chocolat-praliné, Feuille d'automne), les entremets aux fruits (Miroir des elfes, Médicis), à moins que vous ne leur préfériez la très simple et délicieuse galette à l'orange. Tous les produits sont de qualité : la viennoiserie, les chocolats, les glaces comme les pâtes de fruits. Essayez notamment le Palet or (ganache à la vanille), la Caresse (ganache au manjari) ou le Palet moka (ganache au café). Un des musts de l'arrondissement.

Jean-Charles Rochoux

16, rue d'Assas • M° Rennes • Tél. 01 42 84 29 45
www.jcrochoux.fr • Ouvert le lundi de 14h30 à 19h30,
du mardi au samedi de 10h30 à 19h30
Jean-Charles Rochoux n'est pas un chocolatier à la mode dont le nom s'étale dans les magazines, mais les habitants du quartier savent que cette petite boutique sans chichi offre certains des meilleurs chocolats de la capitale. Établi depuis 2004, notre artisan a récemment acquis une reconnaissance bien méritée pour ses créations de haute qualité, comme le Durango, une amande caramélisée recouverte de chocolat praliné. Ou encore

le Valera, une crème de marrons légèrement fouettée nappée de chocolat. Mais il existe bien d'autres spécialités inoubliables comme le Loja, une ganache à la rose, ou le Louise, un chocolat au basilic. Tous les chocolats sont élaborés dans le laboratoire situé au sous-sol et sont disponibles uniquement sur place.

Jean-Paul Hévin

3, rue Vavin • M° Vavin • Tél. 01 43 54 09 85 • www.jphevin.com
Ouvert du lundi au samedi de 10h à 19h
Autres adresses :
→ 231, rue Saint-Honoré, 1er • M° Palais-Royal-Musée-du-Louvre
Tél. 01 55 35 35 96
→ 23 bis, avenue de La Motte-Picquet, 7e • M° La Tour-Maubourg ou École-Militaire • Tél. 01 45 51 77 48
→ 3, place du 25-Août-1944, 14e • M° Porte-d'Orléans
Tél. 01 45 39 32 52

Jean-Paul Hévin distingue parmi ses chocolats les ganaches nature, les ganaches fruitées, les ganaches aux épices, les pralinés, les chocolats au lait et les chocolats spéciaux. Tous sont magnifiques, notamment la ganache au thé fumé ou au gingembre, le gianduja au lait ou le rocher. Les gâteaux au chocolat sont tout aussi intéressants, tels la pyramide à la pâte d'amandes et pistaches avec ganache amère, ou le Guyaquil (biscuit chocolat aux amandes avec mousse au chocolat). Le caracas est un biscuit léger au chocolat amer, avec mousse légère au chocolat amer vanillé. Essayez aussi la tarte aux noix, le délicieux macaron framboise fourré ganache chocolat ainsi que le gâteau chocolat-framboise. Quant à ses glaces, elles font référence comme le turin, une mousse aux marrons glacés et glace aux marrons. Le week-end, certains aficionados viennent de tout Paris chercher les choux à la crème, le délicieux éclair au chocolat qui disparaît dès 14h, les mille-feuilles au chocolat ou à la vanille, ou encore des assiettes de petits fours pour leur cinq-heures. Initiative à noter : Jean-Paul Hévin propose les "gâteaux du voyage" expédiés partout dans le monde grâce à son site de vente sur Internet.

Le Bar du Lutetia

45, boulevard Raspail • M° Sèvres-Babylone • Tél. 01 49 54 46 46
www.lutetia-paris.com
Ouvert tous les jours de 12h à 18h

Ce n'est certes pas un endroit très cosy, mais le décor de Slavik a de l'allure et vous serez surpris par la qualité des gâteaux et des thés que l'on sert avec une grande gentillesse. La dacquoise pistache, le cake aux fruits, les toasts au beurre et à la confiture sont excellents. On peut aussi déguster des madeleines chaudes et de la brioche à la cannelle. Les thés sont bons, ainsi que le chocolat chaud celaya de Valrhona.

Marie-Thé

102, rue du Cherche-Midi • M° Vaneau • Tél. 01 42 22 50 40
Ouvert du mardi au dimanche de 10h à 18h

Ce salon a su s'attirer une clientèle de quartier grâce à la gentillesse de son service. On peut y prendre un agréable thé complet avec scones, muffins, toasts et cake anglais. Le thé de Chine fumé est très bon.

La Pâtisserie viennoise

8, rue de l'École-de-Médecine • M° Odéon • Tél. 01 43 26 60 48
Ouvert du lundi au vendredi de 8h à 19h30

Le décor est immuable et les clients continuent d'affluer dans ce petit établissement sympathique. Seule la pâtisserie a changé. Le strudel est triste et cartonneux, la tarte petrouchka ne vaut pas mieux. Restent quelques souvenirs de nos années d'étudiants.

Patrick Roger 🍬🍬🍬🍬

108, boulevard Saint-Germain • M° Odéon • Tél. 01 43 29 38 42
www.patrickroger.com
Ouvert du lundi au samedi de 10h30 à 19h30
Autre adresse :
→ 45, avenue Victor-Hugo, 16e • M° Victor-Hugo
Tél. 01 45 01 66 71

Patrick Roger, meilleur ouvrier de France en 2000, est un chocolatier dont le talent est reconnu par tous et en particulier par la nouvelle génération de pâtissiers qui ne manque jamais de lui rendre hommage. Anticonformiste et artiste, il laisse parler son imagination : c'est un peu la rock-star du chocolat ! Malgré une grande liberté dans la création, ce fils d'un couple de pâtissiers-boulangers du Perche a hérité du goût du travail bien fait et des produits d'une qualité et d'une fraîcheur irréprochables. Ce jeune homme a déjà une longue expérience, acquise chez des "grands" du métier comme Pierre Mauduit ou Christian Constant. Toujours à la recherche de l'équilibre et de la justesse du goût, il va jusqu'à jongler avec soixante couvertures différentes. Pour vous convaincre des qualités de cet inventeur-né, tentez ses différentes ganaches (à l'avoine, au citron et basilic, au citron vert et poivre de Séchouan); à moins que vous ne préfériez goûter la merveilleuse Amazone (accord du caramel et de l'acidité du citron vert), le Macao double texture, le Caracas aux fruits de la Passion, ou le Zanzibar au thym et citron. Les pralinés aux noisettes, aux amandes ou aux noix sont également remarquables (la pâte de pistaches est u-ni-que !). Ne manquez pas non plus les tablettes, les fraises confites fourrées de leur pulpe, l'excellent nougat au chocolat, et piochez sans hésiter dans les confitures maison : les fruits sont cueillis avec amour dans le jardin familial... Un must absolu.

Pierre Hermé Paris 🍬🍬🍬🍬

72, rue Bonaparte • M° Saint-Sulpice ou Saint-Germain-des-Prés
Tél. 01 43 54 47 77 • www. pierreherme.com
Ouvert du lundi au dimanche de 10h à 19h
Autre adresse :
→ 185, rue de Vaugirard, 15e • M° Pasteur
Tél. 01 47 83 89 96

Pierre Hermé a été incontestablement un précurseur et a redonné aux pâtissiers un statut véritable en inventant des "collections de desserts" comme le font les grands couturiers. On comprend ainsi mieux pourquoi sa boutique de la rue Bonaparte est souvent prise d'assaut par une clientèle pas toujours des plus aimables. Mais ne vous découragez pas, vous serez récompensé. Parmi les désormais classiques de la maison, découvrez l'étonnante tarte au café, le célèbre Ispahan (biscuit-macaron à la rose, crème aux pétales de rose, framboises entières et litchis), le "2 000 feuilles" au praliné ou encore la tarte au citron. Le Flan des amateurs est parfait, et permet de remettre ce dessert au goût du jour. Le traditionnel Mont-Blanc est agrémenté d'une délicate compote d'églantines ! Les petits fours frais sont tous sublimes avec une petite préférence pour le Hermé Carré Envie, qui joue avec subtilité sur les harmonies du cassis, de vanille et de violette. Mais ne croyez pas que Pierre Hermé joue toujours sur les contrastes : en véritable innovateur, il continue à surprendre, lorsqu'il choisit d'approfondir un goût unique, comme dans la merveilleuse tarte Infiniment Vanille, pâte sablée, ganache au chocolat blanc et à la vanille, biscuit imbibé au jus de vanille et crème de mascarpone à la vanille ! Les desserts au verre sont très amusants et suivent les saisons : cet hiver, ne manquez pas l'Émotion Mahogany (compote de litchis, compote de mangues, biscuit dacquoise à la noix de coco, crème de mascarpone au caramel), ou l'Émotion satine, qui décline les saveurs du cheese-cake, aux fruits de la Passion et à l'orange. Si vous présentez ces desserts à des invités, personne ne vous demandera si vous les avez faits vous-même ! Ne dédaignez cependant pas les viennoiseries, notamment le kugelhopf et le délicieux pain aux raisins à la cannelle, autant de quatre-heures inoubliables. Et si l'on vous dit "Pierre Hermé, trop sucré !", répondez par un grand sourire !

Pierre Marcolini

89, rue de Seine • M° Mabillon • Tél. 01 44 07 39 07
www.marcolini.com
Ouvert du lundi au samedi de 10h30 à 19h
Autre adresse :
→ 3, rue Scribe, 9e • M° Opéra • Tél. 01 44 71 03 74

Pierre Marcolini est l'homme qui vous fera oublier vos préjugés sur le chocolat belge. Infatigable, il parcourt le monde à la recherche de cabosses et traite ses fèves dans ses ateliers de Bruxelles. Il fait par exemple venir du Mexique la précieuse fève Porcelana, en voie de disparition, à l'exceptionnelle "longueur en bouche", pour confectionner la tablette Carré2 Chocolat- Limited Edition. Dans ses bonbons de chocolat, qu'il appelle Pralines, Pierre Marcolini tourne le dos à l'extravagance pour rechercher l'équilibre du goût, les nuances légères. Pour vous en assurer, goûtez le thym orange, un palet fondant à base de thym et de zestes d'orange, le violette, un palet chocolat noir infusé à la violette ou le cœur framboise, une ganache à la pulpe de framboise enrobée de chocolat blanc, aux arômes subtils. Si vous trouvez la couverture de certains bonbons un peu trop épaisse, cap sur les palets fins, au praliné ancien ou au miel de montagne, divines exclusivités de la maison. Enfin, sur la carte très alléchante des desserts et des confitures maison, ne manquez pas les pâtes à tartiner qui feront le régal des enfants ou la guimauve enrobée de chocolat blanc.

Sadaharu Aoki

35, rue de Vaugirard • M° Rennes • Tél. 01 45 44 48 90
www.sadaharuaoki.com
Ouvert du mardi au samedi de 11h à 19h, le dimanche de 10h à 18h
Autres adresses :
→ 56, boulevard de Port-Royal, 5e • M° Les Gobelins
Tél. 01 45 35 36 80
→ 25, rue Pérignon, 15e • M° Ségur • Tél. 01 47 34 92 68

En quelques années, Sadaharu Aoki est devenu un pâtissier incontournable à Paris. Il a su faire un usage inventif du thé vert, qu'on trouve ici sous toutes ses formes : éclairs matcha, financiers, petites madeleines, glaces... L'opéra au thé vert est particulièrement remarquable. La saveur fraîche du matcha permet d'alléger ce grand classique et de lui donner une vigueur nouvelle, à moins que vous ne lui préfériez le sésame noir, qui tient lieu de noisette dans la cuisine japonaise. Ne dédaignez pas pour autant les gâteaux moins exotiques exécutés avec un grand raffinement, comme la tarte au citron avec une feuillantine pralinée, le marron fruits rouges, une variété sur le mont-blanc agrémentée de marmelade de framboises et de fruits rouges, ou encore le Symphonie (macaron à la violette, crème brûlée de thé darjeeling, crème mousseline à la violette et fruits rouges), un régal. La présentation délicate des produits, notamment sous forme de petits fours très "petits cadeaux" rajoute au charme de l'ensemble. Une des adresses phares de la pâtisserie parisienne, en ces temps où les Français se lancent plus volontiers dans la boulangerie...

Voir aussi :

Amorino (4e).
Mariage Frères (4e).
Puyricard (7e).
Ladurée (8e).
La Maison du chocolat (8e).
À la mère de famille (9e).
Le Palais des thés (14e).

7e arrondissement

Le Bac à glaces

109, rue du Bac • M° Sèvres-Babylone • Tél. 01 45 48 87 65
www.bacaglaces.com
Ouvert du lundi au samedi de 11h à 19h

Dans l'agréable boutique, sise juste à côté du Bon Marché, les glaces sont "à l'ancienne" et les sorbets "fins". Outre les parfums classiques (café, chocolat, pistache, noisette, vanille, créole et nougat pour les glaces ; fraise, framboise, melon, pomme verte, figue et mandarine pour les sorbets), on trouve de bons parfaits glacés et un curieux sorbet au chocolat.

Besnier Père et Fils

40, rue de Bourgogne • M° Varenne • Tél. 01 45 51 24 29
Ouvert du lundi au vendredi de 7h à 20h

Certains habitants du 7e arrondissement se partagent un secret : c'est chez Besnier Père et Fils qu'il faut acheter ses pâtisseries. On pourrait en effet passer devant cette boutique anodine sans y jeter un regard : le choix limité n'a rien d'impressionnant, mais, une fois la porte passée, on est conquis par la qualité irréprochable des pâtisseries, des viennoiseries, des chocolats et des pains. Essayez la tarte figue-pistache ou le Coup de soleil, une pâte sablée recouverte de pêches marinées au vin et surmontée d'une crème à l'orange légèrement fouettée. Quant à la brioche au chocolat, fourrée avec du chocolat crémeux, elle est copieuse et plus intéressante que celle que l'on trouve habituellement avec des pépites.

Debauve et Gallais

30, rue des Saints-Pères • M° Saint-Germain-des-Prés
Tél. 01 45 48 54 67 • www.debauve-et-gallais.com
Ouvert du lundi au samedi de 9h à 19h
Autre adresse :
→ 33, rue Vivienne, 2e • M° Bourse • Tél. 01 40 39 05 50

La maison Debauve et Gallais, installée rue des Saints-Pères, s'enorgueillit d'être l'ancien fournisseur des rois de France. On n'y trouve plus de chocolats médicinaux, mais des chocolats de qualité : rochers, ganaches diversement parfumées, chocolat noir fourré à la pistache, aiguillette de gingembre. Vous pouvez goûter aussi la bouchée rhum-marrons et les grains de café enrobés de chocolat noir, agréables après le repas. Les palets or (72 %) et argent (85 %) à la ganache amère sont d'une belle finesse.

Les Deux Abeilles

189, rue de l'Université • M° Invalides ou RER Pont-de-l'Alma
Tél. 01 45 55 64 04 • Ouvert du lundi au samedi de 9h à 19h

Une enclave chaleureuse dans ce coin du 7e arrondissement un peu compassé. Dans trois salles, dont une bénéficie d'une verrière, un public presque exclusivement féminin se presse à toute heure de la journée pour consommer des tartes salées et des salades variées roboratives. Les pâtisseries sont copieuses et savoureuses : tarte au citron meringuée, fondant au chocolat, crumble poire et fruits rouges ou brioche chaude à la cannelle.

Les Gourmandises de Nathalie

67, boulevard des Invalides • M° Duroc • Tél. 01 43 06 02 98
Ouvert du lundi au samedi de 10h à 18h30 • Fermé en août

Nathalie prend la gourmandise au sérieux : son choix de bonbons est quasiment exhaustif ! Chez elle, on ne trouve pas une sorte de bonbon à la bergamote, mais quatre. Goûtez également la sélection d'anis, ainsi que les bonbons à la violette ou d'autres produits régionaux agréablement présentés. Ne manquez pas les coussins framboise-myrtille, une variante du fameux coussin lyonnais.

Jean Millet ✧✧✧✧

103, rue Saint-Dominique • M° École-Militaire

Tél. 01 45 51 49 80

Ouvert du lundi au samedi de 9h à 19h, le dimanche de 8h à 13h

Dans cette boutique tout en longueur, on peut savourer assis d'excellents gâteaux confectionnés par Denis Ruffel. Spécialités : le Capri (tuile aux amandes à la pistache), le Saint-Marc (mousse chocolat et vanille), l'opéra, le Délice (cigarette chocolat et praliné), le Coup de soleil (tarte aux poires avec crème légère sur fond de pâte sablée), le mille-feuille nougatine, la polonaise et le macaron aux agrumes. Les petits-fours secs sont extraordinaires : petits sablés glacés aux raisins, financiers, linzertorte. Le choix de chocolats est restreint, mais on peut déguster le palet café ou la farandole (feuilletine et praliné noisette). Les délicieux petits pains au chocolat ne sont pas réservés aux enfants...

Michel Chaudun ✧✧✧✧

149, rue de l'Université • M° Invalides ou RER Pont-de-l'Alma

Tél. 01 47 53 74 40

Ouvert le lundi de 9h15 à 12h30 et de 13h à 18h,
du mardi au samedi de 9h15 à 19h15

Avertissement aux lecteurs : si vous poussez la porte du149, rue de l'Université, vous risquez de ne plus jamais éprouver le même plaisir en goûtant d'autres chocolats, tant il est vrai que les spécialités proposées ici sont succulentes. Dans sa boutique, Michel Chaudun reçoit très aimablement habitués et clients de passage. On peut goûter chez lui le Manille (chocolat à la mousse de marron), le Sarawak (pâte de truffes au poivre), le Maragnan (au citron) et le Haïti (à la mousse de caramel). Le Pavé de l'université, un rocher exquis (un peu moins fort que celui de la Maison du chocolat, mais tout aussi parfumé) est à se damner. Véritable artiste du chocolat, Michel Chaudun s'enorgueillit d'avoir inventé en 1993 la tablette à 70 % de cacao, aux éclats de fève de cacao, une spécialité aussitôt reprise par ses confrères chocolatiers.

Les Nuits des thés

22, rue de Beaune • M° Rue-du-Bac • Tél. 01 47 03 92 07
www.nuitsdesthes.com
Ouvert du lundi au samedi de 12h à 19h • Réservation du brunch possible, à partir de 15 personnes, le dimanche et dans la semaine en dehors des heures d'ouverture

Tout près des éditions Gallimard et du carré des Antiquaires, la maison a gardé son ancienne façade de boulangerie. Les gâteaux sont chers et bons, comme il se doit dans le quartier. Vous pouvez goûter la tarte aux marrons glacés, le macaron à la pistache (sur commande), le crumble aux pommes accompagné de crème anglaise, la tarte au citron meringuée, des scones rhum-raisins ainsi que des compotes variées.

Pâtisserie de la tour Eiffel

21, avenue de la Bourdonnais • RER Pont-de-l'Alma
Tél. 01 47 05 59 81 • www.tour-eiffel.fr
Ouvert du mardi au dimanche de 7h à 20h • Fermé en août

Une maison très agréable, surtout aux premiers beaux jours, pour sa terrasse. On y goûtera notamment la brioche cannelle écorce d'orange, la spécialité aux pommes flambée au rhum (très légère) ou le quatre-quarts glacé au citron. Le dimanche, jour de fête, on peut choisir le mille-feuille à la fraise et la forêt-noire et les déguster au salon de thé dans une ambiance détendue. Une bonne adresse aussi pour le matin : les habitués viennent prendre leur petit déjeuner, lire le journal et blaguer avec le patron.

Pâtisserie Secco

20, rue Jean-Nicot • M° La Tour-Maubourg • Tél. 01 43 17 35 20
Ouvert du mardi au samedi de 8h à 20h30

On fait la queue dans cette boulangerie où le pain est toujours délicieux. Dans la boutique aux allures campagnardes, on peut découvrir de très jolies tartes fines aux pommes, des mille-feuilles framboises, un délicieux cheese-cake au fromage 0 % à la présentation raffinée et qui réussit à être très moelleux, une barquette au citron légère et fort goûteuse, comme une tarte citron revisitée avec un confit de citron. Les tartes Chiboust en format familial sont du plus bel effet ! Le samedi, on propose un saint-honoré traditionnel qui donne envie, tout comme la tarte aux fraises mara des bois. Un vrai coup de cœur pour la tropézienne à la crème délicatement parfumée au sirop de badiane et d'un soupçon de pastis (le sucre qui couronne la brioche légère est mariné dans l'anis vert et la fleur d'oranger). C'est là tout l'art de Stéphane Secco : enrichir sa palette de sa connaissance des épices, mais avec une subtile légèreté. Un bonheur.

Puyricard

27, avenue Rapp • RER Pont-de-l'Alma • Tél. 01 47 05 59 47
Ouvert du lundi au samedi de 10h à 19h
Autre adresse :
→ 106, rue du Cherche-Midi, 6e • M° Sèvres-Babylone
Tél. 01 42 84 20 25

Dans ce temple du calisson, délicieusement parfumé au melon, on trouve des chocolats fort bien présentés (comme le ballotin avec ses fleurs de saison), des pâtes de fruits et des dragées. Les poteries typiques du Midi décorent agréablement la boutique. La spécialité maison, le Clou de Cézanne (un chocolat noir à la figue, macéré dans du marc de Provence) est excellente, tout comme le chocolat à la versinthe (substitut de l'absinthe). Quant à la truffe abricot, avec ses abricots secs regonflés dans de l'alcool et une ganache au chocolat amer enrobée de sucre, elle a plus le goût de l'abricot que du chocolat.

Richart

258, boulevard Saint-Germain • M° Solférino
Tél. 01 45 55 66 00 • www.chocolats-richart.com
Ouvert du lundi au samedi de 10h à 19h
Dans cette boutique originale, toute blanche, les chocolats sont présentés comme des bijoux et décorés avec audace : des mots, des couleurs, des motifs géométriques sont inscrits sur les couvertures. L'audace n'est pas seulement esthétique puisque le choix de ganaches aux fruits est plus important que partout ailleurs. Goûtez ainsi les chocolats au caramel au beurre salé, au coulis de pruneaux ou d'ananas, à la réglisse ou au coulis de marrons d'Ardèche. Richart propose aussi des truffes et des ganaches à la cardamome mentholée, relevés de vanille et de gingembre, les "nuits indiennes". Les Petits Richart, quatre fois plus petits qu'un chocolat traditionnel, sont aromatisés au thym, au curry, à la muscade, au safran, aux clous de girofle ou encore aux trois poivres. Quel voyage !

Rollet-Pradier

6, rue de Bourgogne • M° Assemblée-Nationale
Tél. 01 45 51 78 36 • www.rolletpradier.fr
Ouvert du lundi au samedi de 8h à 20h, le dimanche de 8h à 15h
Dans l'auguste maison de la rue de Bourgogne, attardez-vous sur tous les gâteaux rustiques. La tarte au citron est un modèle du genre, ainsi que la linzertorte. Le quatre-quarts au citron mérite d'être goûté ainsi que la tarte aux quetsches. Les musts de la maison : le marquis au chocolat, la brioche grand-mère (riche en beurre) et le blanc-manger aérien. Le salon de thé propose aussi les chocolats de Jean-Paul Hévin (voir p. 33), ce qui ajoute une raison de faire une halte agréable dans ce quartier peu pâtissier.

La Tarte tropézienne

58, rue Saint-Dominique • M° Solférino • Tél. 01 45 55 10 45

Ouvert du mardi au dimanche de 8h à 19h

Nostalgiques de vos vacances provençales, en manque de tropézienne moelleuse et crémeuse ? Voici une boulangerie de quartier qui décline la tarte tropézienne, fort peu disponible dans la capitale. Choisissez-la de préférence en portions individuelles, fondante et généreuse et à peine l'aurez-vous goûtée que le Midi s'invitera dans votre esprit.

Voir aussi :

Dalloyau (6e).
Jean-Paul Hévin (6e).
À la mère de famille (9e).
Le Moulin de la Vierge (15e).
Lenôtre (16e).

8e arrondissement

Le 1728

8, rue d'Anjou • M° Madeleine • Tél. 01 40 17 04 77

www.restaurant-1728.com

Ouvert du lundi au vendredi de 12h à minuit, le samedi de 14h30 à minuit

Dans les salons restaurés du très bel hôtel de la rue d'Anjou s'est installé un restaurant et maison de thé qui propose un grand choix de thés de Chine et les subtiles gourmandises de Pierre Hermé et d'Arnaud Larher. Le choix est limité, mais judicieux : Ispahan, 2 000 feuilles, tarte au chocolat caraïbes, Ivoire. Le lieu vaut vraiment le détour pour son cadre raffiné, ses expositions de peinture et de sculpture, ses petits salons particuliers. Le point faible parfois : l'accueil.

Au Chat Bleu

85, boulevard Haussmann • M° Saint-Augustin
Tél. 01 42 65 33 18
Ouvert du lundi au vendredi de 9h30 à 19h

La boutique est une annexe de la maison-mère, située au Touquet. Elle doit son nom aux deux demoiselles qui la fondèrent en 1912 et qui possédaient un persan bleu. Découvrez le Tamouré (ganache à la vanille), le Syracuse (ganache parfumée à l'alcool de pistache) ou le Silvermint à la menthe. La spécialité est évidemment le Chat bleu, un praliné entre deux feuilles de nougatine enrobé de chocolat noir, au lait ou blanc. Le décor à l'ancienne est un régal pour les yeux, on peut toujours goûter de petits morceaux des nouveautés et l'accueil est tendrement gourmand. N'oubliez pas les caramels au beurre, de grâce !

Betjeman and Barton

23, boulevard Malesherbes • M° Saint-Augustin
Tél. 01 42 65 86 17 • www.betjemanandbarton.com
Ouvert du lundi au samedi de 10h à 19h

Une excellente maison de thé où l'on trouve des thés des plus classiques aux plus rares, comme le pouchkine, un thé à la bergamote de Sicile et à l'orange, ou le thé royal au lotus pour le soir... Vous pourrez aussi goûter les cakes maison, les confitures et les bonbons.

La Bonbonnière

28, rue de Miromesnil • M° Mirosmesnil • Tél. 01 42 65 02 39
Ouvert du lundi au vendredi de 10h à 19h
Autre adresse :
→ 4, place d'Estienne-d'Orves, 9e • M° Trinité
Tél. 01 48 74 23 38

Depuis bientôt 80 ans, la maison fabrique son chocolat avec une matière première à 70 % de cacao. Les spécialités sont la Rocaille (une aiguillette d'amandes enrobée de chocolat amer), la Granada (une nougatine aux amandes enrobée de chocolat amer), la Saintonge (ganache nature), l'Aurore (ganache framboise) et la São Paulo (ganache café). Les pâtes de fruits sont très bonnes, tout comme les confitures, avec cinquante variétés capables de satisfaire vos envies les plus originales. La Bonbonnière importe par ailleurs quarante variétés de thés.

La Cigogne

61, rue de l'Arcade • M° Saint-Lazare • Tél. 01 43 87 39 16
www.patisserie-alsacienne.com
Ouvert du lundi au vendredi de 8h à 19h

Non loin de la gare Saint-Lazare, une enclave alsacienne qui défend les couleurs de cette grande région gourmande : l'apfelstrudel, la tarte aux pommes, la tranche cannelle – un peu sucrée mais généreuse –, la Tzarine (sablé citron avec raisins). Le clafoutis aux cerises est bon, de même que la pomme en chemise, une pomme entourée de pâte. Les pains d'anis et les sablés à la cannelle sont agréables.

Fauchon

24-26, place de la Madeleine • M° Madeleine
Tél. 01 47 42 93 73 • www.fauchon.fr
Ouvert du lundi au samedi de 8h à 21h
Plusieurs corners :
→ Voir sur le site Internet

Christophe Adam réussit toujours aussi bien les grands classiques comme les macarons – très légers –, le fraisier, les charlottes aux fraises, l'opéra, mais propose aussi ses propres créations comme l'Éclair à l'orange, l'Intense (brownie chocolat et mousse de chocolat à 70 % de cacao), le tiramisu fraise ou le savarin fruits de la Passion. Les chocolats sont à la hauteur des pâtisseries : le Palet d'or est excellent, les bonbons au chocolat au lait gardent le goût du cacao et le praliné nougatine (praliné et nougatine concassée) est tout aussi réussi. Cette incontournable maison saura-t-elle rester à la hauteur de sa réputation maintenant que ses dimensions sont quasi industrielles ? Il semblerait, finalement.

Fouquet

22, rue François-Ier • M° Franklin-D.-Roosevelt
Tél. 01 47 23 30 36 • www.fouquet.fr
Ouvert du lundi au samedi de 10h à 19h
Autre adresse :
→ 36, rue Laffitte, 9e • M° Le Peletier • Tél. 01 47 70 85 00

La maison appartient à la même famille depuis 1852. C'est la quatrième génération qui perpétue la grande tradition sucrée et l'on ne s'en plaindra pas. Tout est fait artisanalement dans le laboratoire de la rue Laffitte : pâtes de fruits, calissons, d'exquises confitures plus ou moins sucrées, des caramels cuits dans des bassines de cuivre, des fruits confits, des fruits déguisés, des fruits russes (fruits semi-confits, recouverts de sucre glace), des pâtes d'amandes et des chocolats. Les fondants aux extraits naturels de fruits sont divins, tout comme les noix enrobées de fondant. Les différents bonbons sont présentés dans des bocaux de verre, ainsi que les noisettes, noix et amandes caramélisées. Les salvators, des caramels mous enrobés de caramel dur (même recette que le négus de Nevers) parfumés au chocolat, au café, à la vanille, sont remarquables. Les délicieux sirops, au café, à la groseille, à la cerise, à la framboise, à la menthe ou à l'eau de fleur d'oranger, les différents miels et les biscuits, nonnettes ou sablés sont tout aussi raffinés. Tradition artisanale oblige, même les boîtes métalliques pour offrir les bonbons sont peintes à la main. Une magnifique adresse.

Galler

114, boulevard Haussmann • M° Saint-Augustin
Tél. 01 45 22 33 49 • www.galler.fr
Ouvert du lundi au samedi de 10h à 19h

Dans la catégorie des chocolatiers qui repoussent les limites de la créativité, le Belge Jean Galler figure en tête de liste. Avec le fleuriste Daniel Ost, il forme un duo qui n'hésite pas à faire macérer le chocolat dans des pétales de fleur écrasés, afin que celui-ci soit imprégné du parfum de la rose, de la violette, du jasmin ou de la fleur d'oranger. Décidément zen, sa ligne *kaori* (qui signifie "fragrance" en japonais) consiste en d'étonnants bâtonnets de chocolat que l'on trempe dans trois pots – thé vert et graines de pavot, *yuzu* (un agrume japonais) ou cacao et zestes d'orange. Il existe douze sortes de bâtonnets – au safran, à la cardamome, au gingembre, à la fraise et au vinaigre balsamique, entre autres –, ce qui permet d'essayer trente-six combinaisons. Créatif, Jean Galler saura vous faire oublier les pâteuses sucreries belges et vous emmènera visiter des continents gustatifs nouveaux.

Hédiard

21, place de la Madeleine • M° Madeleine • Tél. 01 43 12 88 88
www.hediard.fr
Ouvert du lundi au samedi de 9h à 20h
Autres adresses :
→ 31, avenue George-V, 8e • M° Alma-Marceau
Tél. 01 47 20 44 44
→ 70, avenue Paul-Doumer, 16e • M° La Muette
ou RER Boulainvilliers • Tél. 01 45 04 51 92
→ 106, boulevard de Courcelles, 17e • M° Courcelles
Tél. 01 47 63 32 14

La maison Hédiard est un peu dans l'ombre de la Madeleine et de ses prestigieux voisins. Il faut néanmoins y goûter les gâteaux traditionnels – charlottes aux fruits, éclairs et tartes diverses – et les chocolats (les truffières notamment). Le rayon confiserie vous fera rêver, avec les calissons d'Aix, les pâtes de fruits, les fruits confits et fruits russes, les marrons glacés, les loukoums, les fondants et les différents massepains aromatisés, très bien présentés. La gamme de confitures est impressionnante, une cinquantaine de variétés dont les quatre fruits rouges, l'abricot-amandes ou la noix de coco.

Ladurée ✿✿✿

16, rue Royale • M° Madeleine ou Concorde
Tél. 01 42 60 21 79 • www.laduree.fr
Ouvert du lundi au jeudi de 8h30 à 19h30, les vendredi et samedi de 8h30 à 20h, le dimanche de 10h à 19h
Autres adresses :
→ 21, rue Bonaparte, 6e • M° Saint-Germain-des-Prés
Tél. 01 44 07 64 87
→ 75, avenue des Champs-Élysées, 8e • M° George-V
Tél. 01 40 75 08 75
→ Premier étage du Printemps Haussmann (magasin de la mode), 64, boulevard Haussmann, 9e • M° Havre-Caumartin
Tél. 01 42 82 40 10

C'est désormais Philippe Andrieu qui est en charge de la pâtisserie dans la belle boutique de la rue Royale prise d'assaut à tout moment de l'année, et dans celle, plus vaste, de l'avenue des Champs-Élysées. Des lieux qui sont, chacun dans leur genre, très agréables et raffinés (même si l'on se sent parfois à l'étroit rue Royale). Faites-vous plaisir avec l'Élysée (biscuit cacao praliné et noisettes caramélisées, surmonté d'une crème au chocolat) ou avec la très fine tarte aux griottes et à la pistache. Évitez cependant la tarte aux fraises des bois, servie à l'assiette, qui manque de parfum. Quant aux macarons, souvent imités, rarement égalés, ils sont l'emblème gourmand de la maison. Leurs goûts suivent les saisons et lancent les modes sucrées du moment. Goûtez-les sans remords, au caramel et beurre salé, à la griotte et à l'amaretto ou à la vanille et au sucre de muscovado, et le plus raffiné de tous à la fleur d'oranger. Une folie remise à la mode par le film *Marie-Antoinette* de Sofia Coppola.

La Maison du chocolat 🍬🍬🍬

225, rue du Faubourg-Saint-Honoré • M° Ternes
Tél. 01 42 27 39 44 • www.lamaisonduchocolat.com
Ouvert du lundi au samedi de 10h à 19h30, le dimanche de 10h à 13h
Autres adresses :
→ 19, rue de Sèvres, 6e • M° Duroc • Tél. 01 45 44 20 40
→ 52, rue François-Ier, 8e • M° Franklin-D.-Roosevelt
Tél. 01 47 23 38 25
→ 8, boulevard de la Madeleine, 9e • M° Madeleine
Tél. 01 47 42 86 52
→ 120, avenue Victor-Hugo, 16e • M° Victor-Hugo
Tél. 01 40 67 77 83

Une adresse incontournable pour les chocolats, mais aussi pour les gâteaux. Hormis les éclairs chocolat, au café et au caramel (le meilleur à notre goût) et les macarons, on trouve dix variétés de gâteaux au chocolat dont le Pleyel (biscuit aux amandes pilées et au chocolat noir), le Délice (biscuit chocolat noir, mousse de truffe amère), le Salvador (biscuit avec chocolat amande à la framboise), le Marronie (mousse de marrons glacés et mousse de truffe amère), l'Andalousie (avec une mousse au citron), le Togo (avec une mousse au chocolat alcoolisée, aux zestes d'orange confits) et le Brésilien (au café). Les bonbons varient subtilement en fonction du mélange de fèves de cacao utilisé : ainsi le Guayaquil (ganache aux fèves équateur, madagascar et vénézuela), le Bacchus (raisins flambés au vieux rhum, ganache caraïbes, vénézuéla et sumatra) et l'Andalousie (qui reprend le thème du gâteau du même nom, avec ganache équateur, vénézuela et togo, zeste et jus de citron).

La Maison du miel

24, rue Vignon • M° Madeleine • Tél. 01 47 42 26 70
Ouvert du lundi au samedi de 9h30 à 19h
Un paradis pour les amateurs. Les miels viennent de toutes les régions de France (Corse, Jura, Pyrénées, Larzac, Gâtinais) et d'ailleurs (Hongrie, Canada). Ils sont faits à partir de citronnier, de bourdaine, de lavande, de romarin, de thym, de rhododendron, de bruyère, d'acacia, de chardon, de châtaignier, de tilleul, de tournesol ou d'oranger. Vous trouverez aussi de la gelée royale, du pollen et de la propolis, du pain d'épices, des nonnettes et des bonbons au miel.

La Petite Rose

11, boulevard de Courcelles • M° Villiers • Tél. 01 45 22 07 27
Ouvert tous les jours de 10h à 19h30 • Fermé le mercredi
Une chef pâtissier japonaise, Miyuki Watanabe, est désormais aux commandes de ce petit établissement et elle y fait merveille ! Chacun des gâteaux qu'elle propose est parfaitement exécuté. Goûtez donc son Costa Rica (une bavaroise café et ganache café sur fond de pâte sablée), ou le Délice orange (une mousse au chocolat à la compotée d'orange et à la crème gianduja), ainsi que le Valentin, mousse au chocolat et crème brûlée à la framboise. Les classiques tartes au citron ou mille-feuille à la vanille révèlent un immense talent. Enfin, ne manquez pas le petit cake à l'orange, modeste seulement en apparence.

Le Plaza Athénée

25, avenue Montaigne • M° Alma-Marceau • Tél. 01 53 67 65 36 (petit déjeuner) ou 01 53 67 66 00 (goûter)
www.plaza-athenee-paris.fr

Si vous avez envie de faire une folie à l'heure du petit déjeuner et de voir la salle du restaurant d'Alain Ducasse, offrez-vous un petit déjeuner continental au Plaza Athénée ! Au menu, les œufs du jour de Philippe Marc et les sublimes viennoiseries du chef pâtissier Christophe Michalak, dont la carte est renouvelée chaque jour. Croissant Plaza au miel d'acacia, croissant noix-citron, tarte au sucre, brioche au chocolat, kugelhopf et feuilleté framboise, ainsi que les pâtes à tartiner au chocolat ou au beurre de cacahuète... pour la bagatelle de 36 €. Un caprice que s'offrent volontiers les grands patrons et autres stars s'y montrent souvent dès le matin. Christophe Michalak a remporté en 2005 le championnat du monde de pâtisserie. Doué d'une énergie sans bornes, il laisse libre cours à sa créativité pour le plus grand plaisir des clients de l'hôtel qui, dès 15h, viennent choisir des pâtisseries sur le chariot dans le très chic salon de thé. C'est lui qui est à l'origine de la religieuse au caramel-fleur de sel, qui a essaimé dans plusieurs établissements renommés... lui encore qui a créé les Bisounours, adaptation sophistiquée des oursons en guimauve de notre enfance. Pas de réservation possible – les tables sont réservées aux clients de l'hôtel – mais allez-y à l'improviste et, s'il vous reste une table, goûtez les macarons pêche melba, les magnifiques religieuses à la poire ou au pain d'épices, ou les profiteroles aphrodisiaques au gingembre. Certains gâteaux exposés en vitrine sont en vente toute l'année ; en hiver, on y trouve des bûches de Noël affriolantes, très "avenue Montaigne".

Voir aussi :

Jadis et Gourmande (5e).
Dalloyau (6e).
Maiffret (12e).
Lenôtre (16e).

9e arrondissement

À la mère de famille

35, rue du Faubourg-Montmartre • M° Cadet ou Grands-Boulevards
Tél. 01 47 70 83 69 • www.lameredefamille.com
Ouvert du lundi au samedi de 9h30 à 20h, le dimanche de 10h à 13h
Autres adresses :
→ 39, rue du Cherche-Midi, 6e • M° Sèvres-Babylone
Tél. 01 42 22 49 99
→ 47, rue Cler, 7e • M° École-Militaire • Tél. 01 45 55 29 74
→ 107, rue Jouffroy-d'Abbans, 17e • M° Malesherbes
Tél. 01 47 63 15 15
→ 30, rue Legendre, 17e • M° Malesherbes • Tél. 01 47 63 52 94

La maison a essaimé dans la capitale, mais cette adresse demeure la plus remarquable. La boutique classée mérite à elle seule le déplacement. Les chocolats ne sont plus fabriqués sur place, mais demeurent de très bonne qualité. Les calissons aux six parfums différents, dont l'étonnant pruneaux-armagnac, sont confectionnés par un artisan près de Sisteron. On trouve aussi de très bons macarons, un grand choix de fruits secs, des biscuits et des confiseries venant des meilleurs artisans, comme le caramel de Biarritz et un étonnant caramel à la pâte d'amandes. Le Délice de la mère, avec de la pâte d'amandes, des raisins au vieux rhum et une couverture au chocolat au lait, est particulièrement réussi. On vend aussi toutes sortes de gommes au poids, comme la pâte grise vanillée, le chabernac et la calabrese. Les thés viennent de chez Damann's. Une mention spéciale pour les glaces, grande nouveauté, dont les recettes ont été mises au point par le glacier maison, champion du monde de sa catégorie ! Les parfums traditionnels vanille et chocolat sont déclinés dans six variétés chacun, et le chef a puisé avec bonheur dans les bocaux de confiserie, à deux pas du laboratoire. Goûtez la glace vanille-caramel au beurre salé, la glace vanille-calisson et violettes cristallisées, ou le très léger et surprenant sorbet vanille. Côté chocolat, fondez pour la glace chocolat-menthe explosive, ou la glace chocolat-aiguillettes d'orange.

Arnaud Delmontel

39, rue des Martyrs • M° Saint-Georges ou Notre-Dame-de-Lorette
Tél. 01 48 78 29 33 • www.arnaud-delmontel.com
Ouvert du mercredi au lundi de 7h à 20h30

On se presse dans cette belle boutique pour la fameuse baguette "renaissance" au sel de Guérande, mais les viennoiseries et pâtisseries méritent également d'être goûtées. Arnaud Delmontel a le souci de la qualité et travaille avec des produits nobles – ce qui n'est pas le cas de tous les boulangers. Ne manquez pas le sablé alsacien à la framboise, le Mirliton, le magnifique strudel aux pommes et aux amandes, le gros cake au citron et au pavot servi tout frais à la coupe, la brioche Saint-Genies aux pralines et à la fleur d'oranger. Au rayon pâtisserie, préférez les tartes pur beurre, de très belle facture (et notamment l'excellente tarte aux poires au vin), aux bavarois manquant un peu d'originalité.

Aurore Capucine

3, rue de Rochechouart • M° Cadet • Tél. 01 48 78 16 20
Ouvert du mardi au vendredi de 11h à 14h30 et de 15h30 à 20h, le samedi de 11h à 14h et de 15h à 20h

Dans cette pâtisserie-boudoir, rétro et précieuse, Jean-François Petit propose des spécialités comme le soufflé meringué groseilles et framboises, la tarte abricot-amandes, le macaron craquelé à la pistache, à la rose ou à la violette et le croquet aux noisettes. Ne manquez pas la tartelette à la crème brûlée. Les chocolats sont faits maison (ganaches café, violette, jasmin et tablettes de chocolat maison) ainsi que les deux tartes au chocolat. Une excellente maison, à recommander aussi pour les gâteaux de fêtes, très beaux.

Les Cakes de Bertrand

7, rue Bourdaloue • M° Notre-Dame-de-Lorette
Tél. 01 40 16 16 28 • www.lescakesdebertrand.com
Ouvert du lundi au samedi de 12h30 à 19h30

Le petit salon de thé de la rue Bourdaloue propose toute la gamme des délicieux cakes qui ont fait la réputation de Bertrand : chocolat-amandes, fruits confits, thé vert, citron, fleur d'oranger, citron-cannelle-gingembre... On y trouve aussi des sablés de la petite Billardière, d'amusants miels parfumés (miel-amandes, miel-fraises) de la maison Barbarella, de l'anis Mazet, des violettes et des tablettes de chocolat décorées de brillants, qui accentuent le côté kitsch de la décoration. Aux beaux jours (du 18 avril au 15 octobre, du mardi au dimanche), les Cakes de Bertrand tiennent salon (de thé) au musée de la Vie romantique (16, rue Chaptal, 9e) : un lieu enchanteur – petites tables de jardin et fleurs en abondance – pour retrouver toutes les spécialités de la maison.

Denise Acabo - À l'étoile d'or

30, rue Pierre-Fontaine • M° Blanche • Tél. 01 48 74 59 55
Ouvert le lundi de 15h à 19h30, du mardi au samedi de 11h à 19h30

Denise Acabo et son abattage de titi parisien, son uniforme de collégienne et ses deux tresses est mieux connue des touristes japonais et américains que des Parisiens. Sa belle boutique 1900 est riche du meilleur de chez les grands artisans. Denise possède des livres sur le chocolat qu'elle consulte facilement, en véritable érudite. Elle vend trente-deux variétés de tablettes de chocolat et quatre-vingt-dix spécialités dont le fameux conquistador, le caramel au beurre salé de Leroux à Quiberon, la très rare rose d'amour, véritable rose trempée dans le sucre, les noisettines du Médoc, le chocolat au cassis de Dijon, les palets à la fleur de bière et le Nérac, alliance pruneaux-armagnac dans une fine coque de nougatine. Jusqu'à son papier cadeau que Denise Acabo fait imprimer à Épinal et ses rubans de soie, tout ici est raffinement.

Tea follies

6, place Gustave-Toudouze • M° Saint-Georges
Tél. 01 42 80 08 44
Ouvert de mars à octobre du mardi au samedi de 19h à 23h30, de novembre à février du mardi au vendredi de 11h à 21h, les lundi, samedi et dimanche de 11h à 19h

Un salon de thé agréable et tranquille sur une jolie place en pente abritée de marronniers imposants. On peut y feuilleter la presse anglaise, américaine et française en savourant un ardéchois (moitié chocolat, moitié marron), un cheese-cake aux fruits frais, des charlottes et de la crème au thé.

Le Valentin

30-32, passage Jouffroy • M° Grands-Boulevards
Tél. 01 47 70 88 50
Ouvert du lundi au samedi de 9h30 à 19h30, le dimanche de 10h à 19h

À deux pas du musée Grévin, cette pâtisserie-salon de thé a su trouver un large public d'habitués. Originaire des Vosges, monsieur Valentin est un artisan passionné et intransigeant qui proclame : "Ici, pas de conserves ni de surgelés." Il fabrique lui-même sa pectine pour confectionner des confitures aux fruits de saison : confiture d'églantines à la vanille, gelée de tomate verte ou framboise-chocolat, cerise noire, pêche de vigne et même confiture d'oignons, à servir avec du foie gras. Vous trouverez ici, outre les classiques (tartes au citron et à l'orange, mille-feuille, excellent soufflé au fromage blanc, linzertorte, kouign-amann), des nonnettes romarimontaines délicieusement rustiques (pain d'épices fourré à la confiture d'oranges), de la pâte d'amandes parfumée à la vanille ou encore à la framboise et au praliné. Sans oublier la spécialité maison, la mirabelle de Lorraine, une mirabelle confite et candie, fourrée de pâte d'amandes à l'eau-de-vie de mirabelle. À noter, une délicieuse tarte au chocolat fourrée de pistache et de confiture de lait.

Voir aussi :
Mavrommatis (5e).
Dalloyau (6e).
Pierre Marcolini (6e).
La Bonbonnière (8e).
Fouquet (8e).
Ladurée (8e).
La Maison du chocolat (8e).

10e arrondissement

Le Furet-Tanrade

63, rue de Chabrol • M° Poissonnière • Tél. 01 47 70 48 34
Ouvert du lundi au samedi de 8h à 20h, le dimanche de 9h à 19h
Élève du confiturier Tanrade, Alain Furet est un véritable confiseur qui fabrique ses produits sur place. Tous les fruits frais sont utilisés pour réaliser confitures et pâtes de fruits. Vous trouverez ici des confitures de marrons, mandarines, oranges amères, pêches de vigne, pêches blanches, pastèques-citrons, trois agrumes, rhubarbes, dattes, kiwis, mangues, raisins, reinettes, carottes, amandes, roses, violettes, ainsi que des gelées de fruits rouges, chocolat noir, coing, pomme-cannelle, pomme-vanille, pomme-orange. Furet est un artisan jaloux de son indépendance et répète à l'envie que qualité et quantité ne vont pas ensemble. Chacun de ses produits en est la preuve, comme l'éclair à la parisienne, tout au chocolat. Comme on le lui a enseigné chez Lenôtre, Furet travaille sur des thèmes : les vendanges, Pâques... En grand chocolatier, il fabrique jusqu'à soixante sortes de chocolats, dont le Petit Furet (palet double noir, praliné avec sucre paille framboise) et la Noix royale (gianduja, noix pilées, chocolat au lait, couverture noire roulée dans du sucre glace).

Tholoniat

47, rue du Château-d'Eau • M° Château-d'Eau
Tél. 01 42 39 93 12
Ouvert du mardi au samedi de 8h à 19h30, le dimanche de 8h30 à 15h

Christian Tholoniat attire les clients de son quartier, malgré l'aspect un peu triste de sa boutique. Les produits sont bien présentés, le service est aimable et les gâteaux témoignent d'un grand savoir-faire. La tarte Tatin est très bonne, tout comme le Semifreddo (glacé caramel et nougatine), le Malgache (biscuit chocolat, ganache au chocolat), l'Alhambra (chocolat et Grand Marnier), l'Ardéchois aux marrons en période de fêtes et la Vieille France, avec des pommes poêlées au caramel et le gâteau frais au citron.

11e arrondissement

Andraud

12, rue de la Roquette • M° Bastille • Tél. 01 47 00 59 07
Ouvert du mardi au samedi de 10h30 à 19h

Dans la belle boutique du début du siècle tout en boiseries sombres, l'ambiance est à l'ancienne. On trouve ici les tablettes et les bouchées de Michel Cluizel comme la marrons-rhum, le nougat tendre ou l'éclat de fèves cacao. Cette maison déjà centenaire propose aussi les chocolats Barnier, les bouchées de chez Chapon, les pâtes de fruits de chez Cruzylles, des calissons, de l'authentique guimauve, une trentaine de confitures ainsi que des biscuits régionaux comme les croquants de Cordes ou les sablés de Sologne.

La Bague de Kenza

→ 173, rue du Faubourg-Saint-Antoine • M° Faidherbe-Chaligny
Tél. 01 43 41 47 02
→ 106, rue Saint-Maur • M° Saint-Maur • Tél. 01 43 14 93 15
Ouverts du lundi au jeudi, le vendredi de 13h30 à 21h,
les samedi et dimanche de 9h à 20h
Autre adresse :
→ 233, rue de la Convention, 15e • M° Boucicaut
Tél. 01 42 50 02 97

Ici, les cornes de gazelle, baklavas et cheveux d'ange sont d'une impeccable fraîcheur. Goûtez la Bague de Kenza (un feuilleté amande à l'extrait de pistache et au miel), le délicieux Pavé à la semoule et à la fleur d'oranger, ou le rustique Bradj, semoule sablée et pâte de dattes. Le coin salon de thé vous permet d'accompagner votre pâtisserie d'un verre de thé à la menthe. Une excellente adresse pour découvrir les pâtisseries orientales.

Démoulin

6, boulevard Voltaire • M° République • Tél. 01 47 00 58 20
www.chocolat-paris.com
Ouvert du mardi au samedi de 8h30 à 19h30, le dimanche
de 8h à 13h30 et de 15h à 19h

Une grande affluence méritée pour cette pâtisserie de quartier où l'on goûtera le Guanaja (biscuit chocolat au chocolat noir), l'Ambre (avec du nougat aux noix), le Symphonie (café, chocolat, meringue et noisettes) ou le Vaucluse (nom donné ici au fraisier dans des versions de haute voltige). Le mille-feuille vanille, la tarte aux fraises à la crème d'amandes, la tarte au citron meringuée volent très haut aussi. Une mention particulière aux tartes salées, remarquablement appétissantes.

La Petite Fabrique 🍬🍬

12, rue Saint-Sabin • M° Bastille • Tél. 01 48 05 82 02
www.petitefabrique.com
Ouvert du mardi au samedi de 10h30 à 19h30

L'atelier est au fond du magasin et laisse échapper de merveilleuses odeurs. On fabrique ici seize sortes de tablettes, neuf variétés de bouchées et une trentaine de petits chocolats. Goûtez la tablette amère pistache, la praliné fondant noir et la bouchée raisin-cognac. Les caramels au chocolat sont bons. À Pâques, les sujets en chocolat sont joliment décorés de "moulage dentelle".

12e arrondissement

Blé Sucré 🍬🍬🍬

7, rue Antoine-Vollon • M° Ledru-Rollin • Tél. 01 43 40 77 73
Ouvert du mardi au samedi de 7h à 19h30, le dimanche de 7h à 13h30

Une adresse à découvrir, plaisamment située près du square Trousseau où Fabrice Le Bourdat, ancien du Bristol et du Martinez, allie savoir-faire et modestie : les prix sont vraiment raisonnables pour des produits de cette qualité. Goûtez l'Aligre (à la crème d'ananas et à la noix de coco) le Vollon (dacquoise amande, praliné feuillantine et sabayon chocolat), ou le Trousseau (mousse au chocolat et framboise). Les grands classiques comme le mont-blanc, le paris-brest et le baba au rhum sont parfaitement exécutés. La viennoiserie est sympathique, sans être exceptionnelle (goûtez tout de même la tarte au sucre). L'accueil est très agréable. Les clients ne s'y trompent pas, ils affluent toute la journée. Une maison à suivre.

Maiffret

97, rue Claude-Decaen • M° Daumesnil • Tél. 01 43 43 88 61
www.maiffret.com
Ouvert du mardi au vendredi de 10h30 à 13h et de 14h à 19h15, le samedi de 10h30 à 19h15
Autre adresse :
→ 102, avenue des Champs-Élysées, 8e • M° George-V
Tél. 01 45 62 55 17

Dans cette authentique boutique parisienne d'avant-guerre dont la restauration a gardé tout le charme, vous trouverez un beau choix de petits chocolats : des ganaches – nature ou plus élaborées –, des pralinés, des pâtes d'amandes, tous fabriqués dans la meilleure tradition artisanale au laboratoire de Sèvres. Les pâtes de fruits – dont la fameuse citron-poire – côtoient les bonbons traditionnels, les sucettes et les calissons, sans oublier les excellentes glaces de chez Berthillon. Sur les Champs-Élysées, Maiffret offre les mêmes produits de qualité et les touristes y trouveront des souvenirs gourmands.

La Muscadette

29, boulevard de Reuilly • M° Daumesnil • Tél. 01 43 07 77 59
Ouvert du mardi au dimanche de 8h à 19h

Sébastien et Sandrine Dégardin ont repris la Muscadette, pâtisserie emblématique du quartier depuis plus de trente-cinq ans. Pour satisfaire une clientèle attachée à la tradition, ils ont conservé la majorité des gâteaux qui faisaient la renommée de la maison comme le pain de Gênes, la barquette aux marrons, la polonaise, le clafoutis, le mille-feuille glacé au parfum d'enfance. Mention spéciale pour le flan à l'ancienne, cuit en deux temps, moelleux et léger. Dans le registre de la pâtisserie moderne, qu'ils comptent développer de plus en plus, les Dégardin s'aventurent à créer un macaron gianduja et poivron confit, ainsi qu'une tarte à la mirabelle et au café recouverte d'un macaron au café (certains trouveront peut-être que le goût du café domine un peu celui, plus délicat, de la mirabelle). Par ailleurs, goûtez sans hésiter le moelleux aux poires, crème d'amandes et poire confite.

Raimo

61, boulevard de Reuilly • M° Daumesnil
Tél. 01 43 43 70 17 • www.raimo.fr
Ouvert du mardi au dimanche de 10h à 22h (boutique), du mercredi au dimanche de 10h à 20h (salon de thé)
Fermé en février

Dans un grand espace au décor très années 1970, on se fait servir à l'italienne des cassates siciliennes aux dés de fruits confits, une superbe melba Raimo fraises des bois ou cerises amarena. Les sorbets sont très agréables, avec des parfums originaux : marron glacé, marron-cassis, framboise-citron, framboise-orange, pomme-cassis-nectar de vanille, pistache, griotte, miel, orange, pamplemousse-orange-citron, pamplemousse-trois fruits rouges. Les glaces (gingembre-miel, cannelle-maracudja, trois chocolats aux épices et calisson) ont un goût de "revenez-y", mais les spécialités sont les vacherins, les cassates siciliennes et les meringues glacées royales. Ne manquez pas la crème Chantilly légère et peu sucrée, à consommer sans modération dès les premières fraises, le tout accompagné de thé Mariage ou de chocolat maison.

Stéphane Vandermeersch

278, avenue Daumesnil • M° Michel-Bizot ou Porte-Dorée
Tél. 01 43 47 21 66
Ouvert tous les jours de 7h à 20h • Fermé le mardi

Stéphane Vandermeersch, qui a fait ses classes auprès de Pierre Hermé, a su très vite conquérir son public. Sa tarte aux pommes et au caramel au beurre salé est une référence incontournable et ses galettes des rois aériennes et généreuses se vendent chaque année... comme des petits pains ! Goûtez encore au sublime mille-feuille vanille, à l'alsacien kugelhopf individuel, un peu sucré, ou encore à la douceur lactée. La viennoiserie est excellente.

Tea mélodie

72, boulevard de Picpus • M° Picpus • Tél. 01 44 68 91 77
Ouvert les lundi et samedi de 11h à 18h, du mardi au vendredi de 11h à 22h

On peut prendre ses aises dans ce salon de thé spacieux bénéficiant d'une agréable terrasse. Toutes les pâtisseries sont fraîches du jour et largement servies. Goûtez le tiramisu, le crumble pommes-cannelle ou fruits rouges (en saison), le clafoutis aux cerises, le fondant au chocolat. Pour accompagner les thés de chez Mariage, prenez une assiette composée de sablés, quatre-quarts à l'orange et scones ou encore des crêpes. Les jus de fruits sont fraîchement pressés, les glaces viennent de chez Berthillon… et la presse est en libre consultation.

Le Triomphe

23, rue du Rendez-Vous • M° Picpus • Tél. 01 40 02 08 79
Ouvert du mardi au vendredi de 8h à 14h et de 16h à 19h30, le samedi de 8h à 19h30, le dimanche de 8h à 14h
Autre adresse :
→ 95, rue d'Avron, 12e • M° Maraîchers • Tél. 01 43 73 24 50

Une adresse bien connue des habitants du quartier où les produits sont de belle facture et très bien présentés. Goûtez la viennoiserie, excellente, notamment tous les feuilletés : chaussons aux pommes, galettes des rois et autres légèretés. Côté pâtisseries, essayez le Provençal (bavaroise nougat avec une gelée framboise et un macaron amandes-fruits secs), l'Ardéchois, le Piémont (bavaroise chocolat et noisettes), ou encore l'Élégance (mousse ambre, chocolat blanc et biscuit au chocolat).

Voir aussi :

La Fournée d'Augustine (14e).

13e arrondissement

Les Abeilles

21, rue de la Butte-aux-Cailles • M° Corvisart
Tél. 01 45 81 43 48
Ouvert du mardi au samedi de 11h à 19h

Dans cette échoppe située sur le carrefour de la Butte, on trouve cinquante variétés de miels français, comme le miel de thym, le miel de fenouil, le miel de citronnier carottes, le miel d'arbousier de Corse ; et c'est l'apiculteur en personne qui remplit les pots sur place. Il vous propose aussi de la confiserie au miel, de la gelée royale ou des leckerlis (pain d'épices à la cannelle).

L'Atelier des saveurs

90, boulevard Auguste-Blanqui • M° Glacière
Tél. 01 43 31 72 00
Ouvert du mardi au samedi de 7h30 à 20h30

On trouve dans cette belle et grande pâtisserie de quartier un vaste choix de viennoiseries et de pâtisseries classiques : des tartes aux fruits : quetsches, citron, pommes, pommes et crème fraîche, des éclairs appréciés par les vieilles dames du quartier et quelques bavarois qui confirment un retour en grâce de ces gâteaux des années 1980. Les glaces et les chocolats sont faits maison.

L'Empire des thés

101, avenue d'Ivry • M° Tolbiac • Tél. 01 45 85 66 33
www.empiredesthes.fr
Ouvert du mardi au dimanche de 11h à 19h

Une maison de thé très chinoise, dans un cadre raffiné, décalé, en plein Chinatown. On peut y goûter 200 crus aux noms poétiques, comme la colonne de jade ou la sieste du mandarin. Les pâtisseries viennent de chez Sadaharu Aoki (voir p. 38) à l'exception des petits sablés au thé au litchi. Nous recommandons la liqueur de thé vert aux amateurs d'exotisme.

Laurent Duchêne

2, rue Wurtz • M° Glacière ou Corvisart • Tél. 01 45 65 00 77
www.laurent-duchene.com
Ouvert du lundi au samedi de 7h30 à 20h

La boutique de ce meilleur ouvrier de France règne dans ce quartier perdu du 13e, au grand bonheur de ses habitants. On y trouve des produits très soignés. Au rayon viennoiseries, kugelhopf, bretzel sucré, la feuille d'érable (une brioche feuilletée aux noix et au sirop d'érable) ou encore la brioche à la crème au citron et confiture de framboises. Au rayon pâtisserie, des spécialités chocolatées comme le rubis (au chocolat blanc et à la framboise) et d'autres plus légères comme l'impératrice (à la crème de riz et à la fraise) ou les traditionnelles tarte aux pommes et tarte au citron, très réussies. Le mille-feuille au rhum est excellent, ainsi que la tarte orange-praliné. Parmi les désormais incontournables verrines, choisissez la Volupté (semoule crémeuse à la vanille, marmelade de fraises et crumble aux amandes). Si vous avez un dîner en ville, les petits sachets de fours secs feront merveille, à coup sûr. Un peu de finesse dans un monde de brutes...

La Tropicale

180, boulevard Vincent-Auriol • M° Place-d'Italie
Tél. 01 42 16 87 27 • www.latropicaleglacier.com
Ouvert du lundi au samedi de 12h à 19h

Un très bon glacier à deux pas de la place d'Italie. On a ici le goût des mélanges : cappuccino, cannelle-figue, fraise-feuilles de menthe, gingembre-caramel, miel-pignons, café arabica-café noix, caramel-nougatine, chocolat blanc-chocolat noir-chocolat nougat et un penchant pour les saveurs exotiques. Le cornet en tuile aux amandes est un must à emporter, mais vous pouvez aussi choisir de vous asseoir à l'une des dix tables du salon de dégustation.

Voir aussi :

Gérard Mulot (6e).

14e arrondissement

La Fournée d'Augustine

96, rue Raymond-Losserand • M° Pernety ou Plaisance
Tél. 01 45 43 42 45
Ouvert du lundi au samedi de 7h30 à 20h
Autre adresse :
→ 24, place de la Nation, 12e • M° Nation • Tél. 01 43 43 77 36

Cette boulangerie propose, outre de délicieuses viennoiseries, quelques spécialités tout à fait alléchantes : cannelé fondant, financier (goûtez-le en modèle familial !), madeleines et tartes aux fruits frais saupoudrées de sucre glace, à la fois simples et bien exécutées (la tarte au citron est un modèle du genre). Si la baguette classique a eu le prix de la meilleure baguette 2004, préférez-lui la tradition, elle est encore meilleure !

La Maison des bonbons

14, rue Mouton-Duvernet • M° Mouton-Duvernet
Tél. 01 45 41 25 55
Ouvert du mardi au samedi de 11h à 14h30 et de 15h à 19h30

Les enfants s'arrêtent volontiers devant cette alléchante vitrine. À l'intérieur de la boutique, c'est une profusion de bonbons traditionnels comme les pralines de Montargis, les sucres d'orge de Rouen, le caramel au beurre salé de l'île de Ré, ou d'excellentes pâtes de fruits artisanales. On trouve aussi des confitures aux pétales de rose ainsi que des biscuits régionaux comme les macarons d'Amiens.

Le Palais des thés

25, rue Raymond-Losserand • M° Pernety • Tél. 01 43 21 97 97
www.palaisdesthes.com
Ouvert du lundi au samedi de 10h à 19h
Autres adresses :
→ 64, rue Vieille-du-Temple, 3e • M° Hôtel-de-Ville
Tél. 01 48 87 80 60
→ 61, rue du Cherche-Midi, 6e • M° Saint-Placide
Tél. 01 42 22 03 98
→ 21, rue de l'Annonciation, 16e • M° La Muette
Tél. 01 45 25 51 52

Cette maison distribue plus de deux cent cinquante variétés de thés venant du monde entier, de 2,80 à 57 € les 100 g. On y trouve aussi de belles théières, des boîtes, des bonbons et de la gelée. Rue Vieille-du-Temple, on peut tout apprendre sur les différents thés, leur provenance et leurs qualités à l'École du thé (tél. 01 43 56 96 38).

Le Petit Duc

7, rue Brézin • M° Mouton-Duvernet • Tél. 01 45 39 46 02
Ouvert du mardi au samedi de 8h à 19h30, le dimanche de 8h à 18h

Monsieur et madame Guérin ont repris récemment la pâtisserie Walter. Ils ont gardé la décoration et l'esprit de la maison ainsi qu'un certain nombre de recettes comme le fameux kouign-amann, nature ou aux pommes, très prisé des habitants du quartier, la viennoiserie, avec le chausson napolitain et le flan rond aux raisins, la tarte fine aux pommes et la tarte à l'orange. Ils ont changé la recette de la tarte au citron et apporté des nouveautés : le pommes-nougat, une fine pâte sablée recouverte de morceaux de pommes fondants et de nougat, le macaron à la rose ou encore le divine, un macaron à la crème mousseline et aux framboises, cousin éloigné de l'Ispahan. Une valeur sûre de l'arrondissement.

Voir aussi :
Amorino (4e).
Jean-Paul Hévin (6e).
Le Moulin de la Vierge (15e).
Le Quartier du pain (15e).

15e arrondissement

À la petite chocolatière

103, rue des Entrepreneurs • M° Commerce • Tél. 01 42 50 87 87
Ouvert du mardi au dimanche de 8h à 20h
Cette maison revendique son appellation de salon de thé, mais c'est surtout d'une bonne pâtisserie-chocolaterie qu'il s'agit. On y déguste la Motte-Picquet (biscuit amandes et crème légère café-nougatine), la Polonaise, la tarte Coup de soleil (avec crème Chiboust caramélisée), la tarte aux sept fruits, l'Ambre (mousseline praliné et chocolat, avec noix caramélisées), la tarte au chocolat ou les diverses charlottes aux fruits de saison. Ne manquez pas de goûter la linzertorte. Côté chocolat, on peut essayer sans autre risque que celui d'y revenir les tuiles Saint-Léon, la Gâtine (praliné roulé dans de la poudre d'amandes), le Trois épices, le Saint-Lambert (praliné feuilleté, enrobage fondant) ou encore la ganache au fenouil. On aime aussi beaucoup le chocolat des garrigues (thym-citron) et le chocolat des bergers à la verveine.

Des Gâteaux et du Pain

63, boulevard Pasteur • M° Pasteur • Tél. 01 45 38 94 16
Ouvert tous les jours de 8h à 20h • Fermé le mardi
Claire Damon, ancienne élève de Pierre Hermé, a officié au Plaza Athénée aux côtés de Christophe Michalak. Dans sa boutique au design sobre et moderne, elle met en valeur une gamme alléchante de viennoiseries, de confitures, de pains et de gâteaux. Perfectionniste, Claire Damon a appris auprès de son maître le respect des produits. Son croissant et son chausson aux

pommes ont un parfum de vrai beurre à l'ancienne. Au hasard des visites (la carte des pâtisseries s'enrichit au fil des semaines), goûtez la tarte aux figues, dont le feuilletage raffiné magnifie la texture du fruit, la délicieuse tarte aux poires et aux épices, le saint-honoré à la violette, le cheese-cake à la framboise (préparé avec du Philadelphia cream cheese), le caramel noix, onctueux et pourtant léger en bouche, ou encore la religieuse au caramel au beurre salé. Ne manquez pas d'en profiter pour déguster le pain à la farine bio, pétri au sel de Guérande, riche en arômes. Mention spéciale pour les pâtes de fruits, très tendres et parfumées.

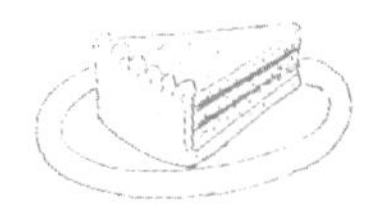

Le Moulin de la Vierge

166, avenue de Suffren • M° Sèvres-Lecourbe
Tél. 01 47 83 45 55
Ouvert du lundi au dimanche de 7h à 20h • Fermé le jeudi
Autres adresses :
→ 64, rue Saint-Dominique, 7e • M° Invalides
Tél. 01 47 05 98 50
→ 105, rue Vercingétorix, 14e • M° Plaisance
Tél. 01 45 43 09 84
→ 6, rue de Lévis, 17e • M° Villiers • Tél. 01 43 87 42 42

Dans ces boulangeries à l'ancienne connues pour leur pain hors du commun, on trouve d'excellents cannelés, des rochers à la noix de coco et de très bonnes viennoiseries. Best of de la maison : les tartes aux pommes à l'ancienne au goût de Tatin, et le récent macaron aux framboises fraîches inspiré de l'Ispahan. On peut emporter les compotes de pommes de la Trinquelinette, des pains d'épices et des nonnettes. Ne manquez pas le Dijonnais (un sablé fourré à la confiture de cassis). Le choix n'est pas très large, mais les clients sont ravis et fidèles.

Le Quartier du pain

→ 74, rue Saint-Charles • M° Charles-Michels
Tél. 01 45 78 87 23
→ 270, rue de Vaugirard • M° Vaugirard • Tél. 01 48 28 78 42
Ouverts du lundi au samedi de 6h30 à 20h
Autres adresses :
→ 93, rue Raymond-Losserand, 14e • M° Pernety
Tél. 01 45 42 23 98
→ 116, rue de Tocqueville, 17e • M° Malesherbes
Tél. 01 47 63 16 28

Cette boutique est incontournable pour la qualité exceptionnelle de son pain. On y trouve aussi d'excellentes viennoiseries, comme le croissant ou le praliné (pâte feuilletée et praliné). La gamme des pâtisseries, encore restreinte, laisse présager du meilleur : la tarte au citron est excellente. Si la boutique a essaimé dans son arrondissement d'origine, puis vers d'autres territoires, avec toujours autant de succès, on se presse dans la boutique mère pour se fournir en cakes marbrés et à l'orange, en mille-feuilles ou en éclairs chantilly à la fraise. L'accueil y est très chaleureux.

Voir aussi :

Dalloyau (6e).
Pierre Hermé Paris (6e).
Sadaharu Aoki (6e).
La Bague de Kenza (11e).
Lenôtre (16e).

16e arrondissement

Béchu

118, avenue Victor-Hugo • M° Victor-Hugo • Tél. 01 47 27 97 79
Ouvert du mardi au dimanche de 7h à 20h30

Le décor années 1930 de la maison, tout en miroirs et en recoins, est une merveille. Spécialités : la Feuillantine (feuilleté praliné à la mousse au chocolat) ou le Salammbô (pâte à choux fourrée de crème pâtissière et caramélisée). L'Équatorial, le Chausson danois, la Feuille d'automne, le Trocadéro et le Victor-Hugo sont autant de plaisirs inédits aux palais parisiens. Le salon de thé a un charme provincial et les prix sont à l'avenant.

Boissier

184, avenue Victor-Hugo • M° Victor-Hugo • Tél. 01 45 03 50 77
Ouvert le lundi de 10h à 18h, du mardi au vendredi de 10h à 19h, le samedi de 11h à 19h • Fermé en août

Un meuble d'apothicaire renferme les thés, les confitures et les pâtes de fruits, délicieusement rétros, confectionnées d'après les recettes originales de monsieur Boissier. Les chocolats sont joliment présentés : les Pétales (tuiles de chocolat aux subtils parfums de fleurs) dans la fameuse boîte bleue Boissier ou les carrés de chocolat assortis parfumés aux épices ou aux fruits confits et emballés dans des dessins Boissier des années 1930 et 1940. De fines créations pâtissières feront vos délices tel le Plume (un nuage de fromage blanc, aussi léger que son nom), les sablés framboise, abricot, gelée de thé ou de café et les verrines, desserts légers présentés dans des verres (crumble café mascarpone, trois chocolats ou exotique). La tarte au citron mérite d'être signalée à l'attention des connaisseurs : en forme de dôme, elle comporte une crème légère rehaussée par une confiture de citron maison. Ne manquez pas l'Amanda : un sablé breton à la fleur de sel avec une compote de fruits rouges et un lait mousseux aux amandes et fruits rouges. Un lieu au raffinement incontestable, mais néanmoins peu convivial.

Carette

4, place du Trocadéro • M° Trocadéro • Tél. 01 47 27 98 85
www.carette-paris.com
Ouvert du lundi au vendredi de 7h à 23h, les samedi et dimanche de 7h30 à 23h

Dans cette maison dont la notoriété connaît des hauts et des bas au rythme des modes, on sert toujours les mêmes produits classiques : mont-blanc, macarons, tarte Tatin, palmiers. L'éclair au chocolat est remarquable et mérite toute votre attention gourmande ! Le service à l'ancienne fait partie du charme du lieu. Les serveuses aux petits soins vous apportent votre chocolat chaud sur un plateau argenté. Ce cadre désuet forme un contraste plaisant avec les cafés interchangeables de la place du Trocadéro.

Lenôtre

48, avenue Victor-Hugo • M° Victor-Hugo ou Charles-de-Gaulle-Étoile • Tél. 01 45 02 21 21 • www.lenotre.fr
Ouvert du lundi au jeudi de 9h30 à 21h, les vendredi, samedi et dimanche de 9h à 21h
Autres adresses :
→ 36, avenue de La Motte-Picquet, 7e • M° École-Militaire
Tél. 01 45 55 71 25
→ 15, boulevard de Courcelles, 8e • M° Villiers
Tél. 01 45 63 87 63
→ 61, rue Lecourbe, 15e • M° Sèvres-Lecourbe
Tél. 01 42 73 20 97
→ 44, rue d'Auteuil, 16e • M° Michel-Ange-Auteuil
Tél. 01 45 24 52 52
→ 121, avenue de Wagram, 17e • M° Wagram
Tél. 01 47 63 70 30

Une adresse célèbre depuis sa création par Gaston Lenôtre. Depuis, les équipes se succèdent, apportant tour à tour des nouveautés. Pour être sûr de son choix, mieux vaut goûter les grands classiques comme l'opéra, le Succès (une macaronade à la crème légère à la vanille garnie de nougatine) et la Feuille d'automne (gâteau rond avec de la meringue et de la mousse au chocolat, enveloppé de feuilles plissées de chocolat). Les macarons sont savoureux, plutôt plus riches que ceux de Ladurée ou de Fauchon. Le Schuss (biscuit avec une crème légère au fromage blanc et à la chantilly, surmonté de framboises) est excellent. Les entremets glacés comme le vacherin sont très bons, quoiqu'un peu sucrés. Un effort a été fait sur la création de nouveautés qui péchait un peu jusque-là : citons le Carré d'été (un moelleux pistache, crème légère au citron et framboises fraîches) ou le Mille-feuille Lenôtre aux deux parfums (vanille-praliné ou vanille-chocolat), présenté à la verticale. Les chocolats méritent à eux seuls une visite : le Palais d'or (chocolat fondant avec une pâte de truffes à la vanille) est savoureux, comme le Palais Lenôtre (pâte de truffes au café) et le Plaisir (chocolat au lait, pâte de truffes, praliné au lait et Cointreau).

Malitourne

30, rue de Chaillot • M° Iéna ou Alma-Marceau
Tél. 01 47 20 52 26
Ouvert du lundi au vendredi de 7h30 à 19h30, le samedi de 7h30 à 18h30

Une des bonnes surprises de ce quartier. Tout est frais et savoureux : les croissants, les tartes aux fraises et aux framboises, les macarons (avec une spécialité originale, le pomme et cannelle), les gâteaux au chocolat. Une autre spécialité maison, le Téméraire, n'a jamais cessé de plaire depuis sa création. C'est un fond de caramel avec de la crème pâtissière allégée aromatisée au Cointreau et des noisettes, bien représentative d'une nouvelle tendance de la pâtisserie : de la légèreté, du goût, de l'invention. Côté chocolat, on peut déguster la Bûchette (ganache nature), le Palet caramel ou le Chaillot (ganache café). Les caramels sont une autre réussite de cette maison.

Noura

27, avenue Marceau • M° Alma-Marceau • Tél. 01 47 23 02 20
www.noura.com
Ouvert tous les jours de 8h à minuit

Dans l'immense boutique de l'avenue Marceau, les baklavas et autres pâtisseries fourrées aux fruits secs sont présentés sur de grands plateaux, coupés en petits dés, les portions sont donc raisonnables. Qu'ils soient à l'amande, à la pistache, à la semoule ou à la figue, ils vous régaleront. Le halva est bon, ainsi que les katayefs (crêpes farcies à la crème de lait). Goûtez aussi le mouhalabieh (flan libanais avec du lait, du sucre et du riz en poudre) ou l'ossmalieh (cheveux d'ange cuits dans du beurre et fourrés de kashta, crème au lait). Attendez en tout cas d'avoir suffisamment d'appétit.

Pascal le glacier

17, rue Bois-le-Vent • M° La Muette • Tél. 01 45 27 61 84
Ouvert du mardi au samedi de 10h30 à 19h

Originaires de l'Aveyron, Pascal Combette et sa femme sont des artisans aussi intransigeants que des peintres ou des musiciens. Ils s'adonnent à leur art avec une précision diabolique. Leur sirop de sucre est fait à l'eau d'Évian et les glaces sont confectionnées avec des fruits frais, selon les saisons bien évidemment. Goûtez le pain d'épices, le praliné amandes-noisettes, le ti-punch avec des morceaux d'ananas, le caramel brûlé à la chicorée, les deux vanilles (vanille de Tahiti, vanille bourbon de Madagascar), le chocolat à l'écorce d'orange, la griotte ou le nougat au miel et amandes. Le sorbet rhubarbe mérite une mention particulière. Cette année, des parfums délicats ont vu le jour : litchi au saké, pêche de vigneau rivesaltes et pêche blanche. Un excellent glacier qui entend conserver une dimension artisanale.

Yamazaki

6, chaussée de La Muette • M° La Muette ou RER Boulainvilliers
Tél. 01 40 50 19 19 • Ouvert tous les jours de 9h à 19h

Une adresse hautement recommandable, tenue par un groupe alimentaire japonais mais dont le chef pâtissier est français. Outre le mont-blanc, connu ici sous le nom exotique de Grand ballon, vous pouvez goûter de très bons macarons dont le nouveau macaron au thé vert, des mille-feuilles aux fraises et quelques entremets. Vous trouverez aussi des spécialités japonaises : le matsuri (un fraisier japonais avec pâte à biscuit, chantilly et fraises), le roulé à la banane et, en été, le granité aux haricots rouges. Les habitants du quartier se précipitent sur les choux à la crème : au café, au thé vert, au praliné, ils sont toujours très frais et réjouissants.

Voir aussi :

Patrick Roger (6e).
Hédiard (8e).
La Maison du chocolat (8e).
Le Palais des thés (14e).

17e arrondissement

Aux enfants gâtés

7, rue Cardinet • M° Courcelles • Tél. 01 47 63 55 70
Ouvert du mardi au samedi de 8h à 19h30, le dimanche de 8h à 13h

Le chef pâtissier de cette charmante maison a travaillé chez Lenôtre. Ses viennoiseries sont excellentes, notamment le Week-end (un fin quatre-quart parfumé au citron), les kugelhopfs, cakes et quatre-quarts. Vous trouverez aussi des entremets comme le Douceur caramel (chocolat, caramel et dacquoise pistache), des verrines compotées de mangue-menthe fraîche ou chocolat-agrume ou encore le crémeux violette et fruits rouges. La boutique propose aussi des glaces et des chocolats.

Charpentier chocolatier

87, rue de Courcelles • M° Courcelles • Tél. 01 47 63 93 05
Ouvert du lundi au samedi de 9h à 19h
Les habitants du quartier le savent bien : on trouve ici, dans cette boutique un peu désuète, de véritables merveilles comme ce praliné noisette au lait à l'ancienne, patiemment travaillé dans un chaudron de cuivre… une rareté. Goûtez aussi le Moka turc (un praliné au café qui joue sur les contrastes), le Créola (à la noix de coco), le Mélissa (une ganache lait à la réglisse) ou le Délice d'aurore (à la mandarine). Ne manquez pas non plus les guimauves en sachet, à l'ancienne, qui ont une vraie consistance de guimauve !

L'Écureuil

96, rue de Lévis • M° Villiers • Tél. 01 42 27 28 27
Ouvert du mardi au jeudi de 9h à 19h, le vendredi de 9h à 19h30, le samedi de 8h30 à 20h
Cette ancienne institution de la rue de Lévis a été reprise par Laurence Edeler et son mari. La clientèle, vite conquise par ce vent de nouveauté, vient fidèlement goûter les nouvelles spécialités, comme le Beaumont (dacquoise chocolat, pommes confites au calvados, crème brûlée au gingembre), le Kara (génoise praliné, bavaroise caramel, croustillant au caramel) ou le délicat fondant poire-pamplemousse. La présentation des gâteaux est soignée et alléchante, comme en témoigne la superbe tarte bourdaloue aux poires entières. Les petits fours secs sont délicieux et amusants. Ne manquez pas une spécialité à la fois rustique et raffinée, le Danish (une pâte feuilletée garnie de crème d'amandes, de pavot et de fruits frais), au goût de revenez-y. Surfant sur la nouvelle vague médiatique, Laurence Edeler diffuse certaines pâtisseries chez Colette : quand le gâteau devient *happening* !

La Marquisette

31-33, avenue de Saint-Ouen • M° La Fourche
Tél. 01 45 22 91 65
Ouvert du mardi au dimanche de 12h à 20h30 (22h l'été)

Vous trouverez ici des glaces moelleuses au yaourt bulgare, à la noisette, à la cannelle, aux cacahuètes, aux dattes, aux noix, à la pistache ou à la vanille agrémentée de pépites de chocolat. Les sorbets sont à la mangue, à la myrtille, au citron, au melon, à la pêche, à l'abricot, aux fruits de la Passion. Goûtez l'excellent mélange fruits des bois (myrtilles, groseilles, framboises, mûres) et le sorbet à l'hibiscus très rafraîchissant. De bons produits artisanaux qui méritent qu'on s'y arrête.

Mister Ice

6, rue Descombes • M° Porte-de-Champerret
Tél. 01 42 67 76 24
Ouvert du mardi au vendredi de 14h à 19h, le samedi
de 11h à 13 h et de 14h à 19h30

Pour les amateurs de glaces, Fabien et Catherine Fœnix ont ouvert cette boutique en 1998 après avoir travaillé pendant douze ans pour divers restaurants. Vous y découvrirez un choix de soixante-dix parfums dont le litchi-pétale de rose et citron-basilic, composition au touron et sorbet orange, ainsi que des desserts glacés (délicieux soufflé au Grand Marnier et nougat glacé) et des entremets comme les omelettes norvégiennes ou les vacherins. Le choix des matières premières comme les fraises ou les amandes d'Espagne est très rigoureux : aucun risque d'être déçu. De l'artisanat d'exception.

Pâtisserie Mauclerc

11, rue Poncelet • M° Ternes • Tél. 01 42 27 81 86
Ouvert du mardi au samedi de 9h à 19h30, le dimanche de 9h à 13h • Le salon de thé ferme à 18h30

Véronique Mauclerc, artisane boulangère installée dans le 19e, a ouvert récemment cette deuxième adresse à l'emplacement d'une ancienne pâtisserie autrichienne. Les grands classiques, tels que l'exquise tarte au citron meringuée, le fondant au chocolat ou le Royal, délicate mousse au chocolat sur un biscuit croquant, côtoient ainsi une gamme de pâtisseries traditionnelles allemandes et autrichiennes que le chef a souhaité conserver. Ceux qui recherchent le dépaysement pourront s'installer au premier étage de la boutique, aménagé de façon typiquement autrichienne, pour déguster leur part d'apfelstrudel ou de strudel aux griottes ou aux mirabelles avec une tasse de chocolat chaud.

Voir aussi :

Angelina (1er).
Mavrommatis (5e).
Dalloyau (6e).
Hédiard (8e).
À la mère de famille (9e).
Le Moulin de la Vierge (15e).
Le Quartier du pain (15e).
Lenôtre (16e).

18e arrondissement

La Butte glacée

14, rue Norvins • M° Abbesses • Tél. 01 42 23 91 58
Ouvert tous les jours de 10h à 20h

Au cœur de Montmartre, cette jeune maison est particulièrement agréable. On peut goûter une sélection de bonnes glaces (quarante-deux parfums en tout) comme on les apprécie en Italie : zuppa inglese, tiramisu, straciatella, réglisse... Le sorbet à la fraise des bois mérite une mention particulière.

L'Été en pente douce

23, rue Muller • M° Château-Rouge • Tél. 01 42 64 02 67
Ouvert du lundi au vendredi de 12h à 23h, les samedi et dimanche de 12h à minuit

Une ambiance décontractée sur un flanc de la butte Montmartre, qui n'est ni celle d'un salon de thé ni celle d'un café. La terrasse, bordée de verdure, est plaisante et le public d'artistes et d'étudiants se révèle plutôt distrayant. On peut y déguster une tarte poires-noix, un fondant au chocolat et un nougat glacé accompagnés d'un thé indien.

Pâtisserie Arnaud Lahrer

53, rue Caulaincourt • M° Lamarck-Caulaincourt
Tél. 01 42 57 68 08 • www.arnaud-lahrer.com
Ouvert du mardi au samedi de 10h à 19h30

Arnaud Lahrer et son épouse proposent une gamme de pâtisseries délicates et joliment présentées. On peut goûter un kouing- amann déjà fameux, des éclairs, des mille-feuilles et des babas au rhum, mais aussi le Pavé de Montmartre (un biscuit aux amandes recouvert d'une fine couche de pâte d'amandes). La Pinta (une tarte fine au pamplemousse rose, amandine pistache et lamelles de poire) n'est pas mal non plus ! Les entremets, sans être vraiment originaux (on reconnaît les influences), sont parfaitement exécutés, comme le Paradis (sablé breton, mousse à la pannacotta, gelée de framboises au vinaigre de framboises), ou le Carré gourmand (pain de Gênes aux framboises, croquant au chocolat blanc et crème légère au citron vert). À découvrir également, l'excellent chocolat chaud en bouteille, parfumé à la vanille, à la cannelle, au chocolat amer et même à l'orange. Au mois de janvier, on se presse pour goûter les galettes des rois, vraiment exceptionnelles.

Les Petits Mitrons

26, rue Lepic • M° Blanche • Tél. 01 46 06 10 29
Ouvert du lundi au samedi de 7h30 à 20h, le dimanche de 8h à 18h • Fermé le mercredi
La vitrine des Petits Mitrons, avec ses tartes, ressemble un peu à celle de Tarte Julie, mais ne vous y trompez pas, la pâte à tarte est différente, caramélisée et ces tartes-ci n'ont pas de crème. Selon les saisons, vous en trouverez aux fruits rouges (griottes, myrtilles, framboises, cassis et groseilles), aux trois agrumes (pamplemousse, orange et mandarine), à la rhubarbe et aux fruits rouges ou encore au chocolat noir et à la banane. Les viennoiseries sont les meilleures du quartier, avec des spécialités comme le goûter, un pain au chocolat fourré orange-chocolat ou banane-chocolat, ou encore le pavé framboise. Le tout est sympathique et artisanal.

Voir aussi :

Pierre Couderc (19e).

19e arrondissement

Pierre Couderc

102, avenue de Flandre • M° Crimée • Tél. 01 40 36 36 24
Ouvert du lundi au samedi de 7h45 à 19h30, le dimanche de 8h à 19h
Autre adresse :
→ 1 bis, rue Tardieu, 18e • M° Abbesses • Tél. 01 46 06 22 06

Cette maison, tenue par un jeune couple plein d'allant, possède un charmant espace confiserie-chocolaterie-traiteur. Pour l'instant, délectez-vous avec le Guanaja (mousse au chocolat intense), l'Ambre (mousseline praliné et mousse chocolat aux noix), l'Adagio (mousse au lait d'amandes, griottes, macarons, pistaches) ou encore avec la Symphonie au café. Les chocolats sont travaillés avec originalité, les pâtes de fruits et fruits confits sont faits maison. Les confitures sont de la marque Miot.

La Vieille France

5, avenue de Laumière • M° Laumière • Tél. 01 40 40 08 31
Ouvert du mardi au dimanche de 9h à 20h

Les nostalgiques de la Vieille France la rue de Buci qui font le voyage jusqu'à l'avenue de Laumière, provinciale et plantée de paulownias du Japon sont réellement récompensés : la troisième génération de pâtissiers ne démérite pas et continue à donner le jour au Mirliton (feuilleté amandes et fleur d'oranger), au Bordelais (sablé amandes et oranges confites) qui sont d'anciennes recettes de gâteaux pour le thé. L'été, on travaille avec des fruits frais pour réaliser la tarte citron et le clafoutis aux cerises. L'hiver, on trouve plus de gâteaux au chocolat et aux marrons, comme l'excellente bombe Buci (mousse aux marrons avec grains de cassis macérés et glaçage au café). Au rythme des saisons, la maison confectionne les bûches de Noël (dont elle revendique l'invention), les petits fours frais du jour de l'an, les galettes des rois... Les sablés se déclinent au café, à la cannelle ou à la pistache.

20e arrondissement

La Flûte Gana

226, rue des Pyrénées • M° Gambetta • Tél. 01 43 58 42 62

Ouvert du mardi au samedi de 7h30 à 20h

La Flûte Gana est une excellente boulangerie qui réussit aussi très bien la pâtisserie boulangère. Les tourtières de Gascogne (pâte très fine garnie de crème d'amandes aux pommes ou pommes-pruneaux), les tartelettes aux quetsches, les chaussons aux pruneaux et les brioches sont très bons. Le cannelé est cher pour sa taille.

Jean et Brassac

16, boulevard de Belleville • M° Ménilmontant • Tél. 01 43 58 31 30

Ouvert du mardi au jeudi de 10h à 19h, les vendredi et samedi de 9h à 19h, le dimanche de 9h à 12h

Vous trouverez chez ce traiteur antillais un beau choix de glaces exotiques comme le citron vert, le corossol, la mangue, la goyave, le maracuja et une excellente noix de coco au milieu d'autres produits appétissants. La pâtisserie est moins intéressante.

Sucr'é cacao

89, avenue Gambetta • M° Gambetta • Tél. 01 46 36 87 11

www.sucrecacao.com

Ouvert du mardi au samedi de 9h à 19h30, le dimanche de 9h à 18h30

Un havre délicieux tenu par James Berthier qui a travaillé chez Peltier ainsi que son épouse. Les gâteaux sont jolis à regarder, décorés de manière simple et moderne. Parmi un large choix, on trouve l'Isis (crème au chocolat avec une mousseline au citron et un biscuit noix de coco) et le Saint-Michel (gâteau traditionnel avec biscuit macaron et mousse chocolat lait). Les derniers nés sont l'Évasion (banane-fruits de la Passion), le Sensation (mandarine-nougat), l'Osiris (amandes, chocolat, framboises) et le Granny (pistache-pomme).

2

Lexique gourmand

Parce que le plaisir des bonnes choses passe aussi par celui des mots, voici un lexique qui vous permettra de mieux goûter à la richesse des mille et une merveilles décrites dans ce guide. De A comme abaisse à Z comme zuppa inglese, découvrez les secrets du sucré.

Ce lexique a été établi à l'aide du *Grand Dictionnaire gastronomique Larousse*.

Abaisse : pâte que l'on étend à l'aide d'un rouleau sur un marbre fariné, afin de lui donner la finesse correspondant à l'utilisation qu'on lui destine. Le mot abaisse désigne également une tranche de génoise ou de biscuit, coupée dans le sens de l'épaisseur, sur laquelle on dépose une garniture de marmelade ou de crème.

Amandine : pâtisserie moelleuse à base d'amandes. Le fond de pâte sucrée est garni d'un mélange d'œufs entiers, de sucre, d'amandes en poudre, de farine et de beurre fondu, aromatisé au rhum et parsemé d'amandes effilées. Après cuisson, le mélange est abricoté ou glacé au fondant blanc.

Amaretto : liqueur italienne au goût d'amande amère, fabriquée à partir d'amandes d'abricot et d'extraits aromatiques.

Appareil à bombe : dans la cuisine traditionnelle, il se faisait avec 32 jaunes d'œufs pour un litre de sirop, mélangés ensuite avec de la crème fouettée et le parfum choisi. Aujourd'hui, on fait des bombes avec des appareils plus légers.

Baba : gâteau de pâte levée additionnée de raisins secs et imbibée, après cuisson, d'un sirop au rhum ou au kirsch.

Baklava : pâtisserie orientale faite d'une superposition de très fines feuilles de pâte de semoule à l'huile ou aux œufs, fourrée d'amandes grillées, de pistaches, de noix hachées et de sucre et découpée en triangles avant la cuisson. À la sortie du four, on arrose les baklavas de miel ou d'un sirop de sucre à l'eau de rose et au jus de citron.

Barquette aux marrons : barquette emplie de crème de marrons, façonnée en dôme à deux pans, l'un glacé au café, l'autre au chocolat, et coiffés d'un liseré de crème au beurre à la vanille.

Bavarois : entremets froid fait d'une crème anglaise ou d'une purée de fruit collée à la gélatine, additionnée de crème fouettée, et moulée.

Bombe glacée : entremets glacé fait d'un appareil à bombe enrichi d'ingrédients divers, mis à prendre au froid dans un moule chemisé de glace. La bombe peut être décorée de fruits confits, de violettes candies, marrons glacés, pistaches, crème Chantilly.

Bourdaloue : nom d'un entremets créé par un pâtissier de la Belle Époque installé rue Bourdaloue, à Paris. Il est composé de demi-poires Williams pochées, noyées dans une crème frangipane vanillée, recouvertes de macarons écrasés et glacées au four. La tarte bourdaloue est faite avec la même garniture sur un fond de tarte.

Brioche : pâtisserie légère et gonflée, en pâte levée, plus ou moins fine selon la proportion de beurre et d'œufs. C'est une des pâtisseries les plus répandues. S'y apparentent les fouaces, les pompes, les couques et les cramiques, le kœckbotteram de Dunkerque, les campanili corses et le pastis landais, qui sont des brioches plus ou moins rustiques et diversement parfumées.

Bûche de Noël : gâteau en forme de bûche, préparé pour les fêtes de Noël. Il est fait d'abaisses de génoise, superposées et façonnées après avoir été fourrées de crème et enrobées d'une crème au beurre au chocolat. On les décore de feuilles de houx en pâte d'amandes et de petits personnages.

Calisson : friandise provençale en forme de navette, de fabrication artisanale, faite d'un mélange d'amandes émondées et de fruits confits (du melon avec un peu d'orange) additionnés de sirop et d'eau de fleur d'oranger. Ce mélange est posé sur un fond de pain azyme et recouvert de glace royale.

Cannelé : petit gâteau originaire de Bordeaux, fait de lait crémeux sucré et vanillé, de farine, de beurre et d'œufs. Caramélisé à l'extérieur et légèrement aromatisé au rhum, il cuit dans un moule en cuivre, à très haute température, ce qui lui donne sa consistance particulière.

Cassate : entremets glacé d'origine italienne, composé de pâte à bombe prise dans un moule rectangulaire, chemisé de glace aux fruits.

Cassate sicilienne : pâtisserie typique, faite de tranches de pain de Gênes imbibées de marasquin ou de curaçao, nappées d'un mélange de ricotta et de chocolat en copeaux, de fruits confits et de sirop de sucre, superposées et recouvertes sur toutes les faces d'une épaisse couche de chocolat. Ce gâteau des fêtes de Noël et de Pâques figure traditionnellement dans les repas de noces.

Charlotte : nom d'un entremets de pâtisserie dont le principe consiste à faire prendre à froid une crème ou une mousse dans un moule chemisé de pain de mie ou de biscuits.

Clafoutis : entremets rustique du Limousin, préparé avec des cerises noires disposées dans un plat à four beurré, sur lesquelles on verse une pâte à crêpes assez épaisse. Il se sert tiède et saupoudré de sucre. En principe, on ne dénoyaute pas les cerises pour que les noyaux, en cuisant, ajoutent leur arôme à la pâte. Par extension, on appelle "clafoutis" d'autres entremets, réalisés avec des prunes, des pêches...

Congolais : petit four ou bouchée fait de meringue italienne mélangée avec de la noix de coco râpée, cuit à four doux. On l'appelle aussi rocher à la noix de coco.

Conversation : petite pâtisserie aux amandes. C'est une tartelette en pâte feuilletée, garnie aux deux tiers d'une frangipane parfumée au rhum ou d'une crème pâtissière aux amandes, puis recouverte d'une seconde abaisse de feuilletage et enfin d'une couche de glace royale. Le dessus est décoré de croisillons de feuilletage.

Corne de gazelle : pâtisserie orientale en forme de croissant, faite de deux pâtes – un mélange d'amandes mondées et pilées, de sucre, de beurre et de fleur d'oranger ; et une sorte de pâte à crêpes très souple et très élastique, dans laquelle on enroule le mélange. On donne à chaque gâteau la forme d'un croissant. Les cornes de gazelle sont cuites à four doux et saupoudrées de sucre glace.

Couverture : variété de chocolat spécialement destinée à l'emploi dans les gâteaux et confiseries, comportant une part plus importante de beurre de cacao et moins de sucre, ce qui abaisse son point de fusion.

Crème au beurre : préparation émulsionnée à base de beurre, de sucre, d'œufs et d'un parfum. Elle décore les génoises, les paris-brest, les bûches de Noël et divers biscuits.

Crème Chantilly : préparation à base de crème fraîche battue, sucrée et vanillée. Elle entre dans la composition de nombreux entremets : vacherin, meringue, bavarois, charlotte...

Crème Chiboust : du nom du pâtissier Chiboust qui créa le saint-honoré en 1846, à Paris. C'est une crème pâtissière bouillante, aromatisée à la vanille, que l'on précipite sur des blancs d'œufs montés en neige et légèrement sucrés. Elle accompagne traditionnellement le saint-honoré.

Crème d'amandes : mélange de sucre, de beurre, d'amandes en poudre et d'œufs, parfois aromatisé au rhum. Cette crème sert à confectionner les pithiviers, amandines, galettes des rois, conversations et jalousies.

Crème mousseline : souvent utilisée aujourd'hui, elle se compose d'un mélange de crème au beurre et de crème pâtissière, avec un aromatisant.

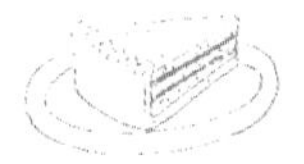

Crème pâtissière : préparation à base d'œufs, de lait, de sucre et de farine. Ses proportions sont variables selon l'emploi : avec des jaunes d'œufs seulement, elle se révèle plus fine ; avec des blancs incorporés, elle est plus légère et sert à la confection du saint-honoré. On la parfume diversement, notamment avec des amandes, pour la frangipane.

Croissant : petit pain en pâte levée ou feuilletée, abaissée en triangle, roulée sur elle-même et incurvée en croissant de lune.

Croquembouche : pièce montée en forme de cône, constituée de menus articles de pâtisserie ou de confiserie rendus croquants par le sirop de sucre utilisé pour les glacer, et dressés sur un socle en nougatine.

Crumble : préparation à base de fruits cuits en compote que l'on saupoudre d'un mélange de farine, de sucre, de beurre et de poudre d'amandes, avant la cuisson.

Dacquoise : gâteau originaire du Sud-Ouest, constitué de deux ou trois disques de pâte meringuée aux amandes, séparés par des couches de crème au beurre, diversement parfumées. Le fond à dacquoise est une variante du succès.

Dame blanche : nom de divers entremets où dominent le blanc et les couleurs pâles. Il s'agit notamment de glace à la vanille servie avec de la crème fouettée et de la sauce au chocolat en contrepoint. On peut également y ajouter de la meringue.

Diplomate : gâteau composé de couches de biscuits à la cuiller, imbibé de sirop parfumé au rhum ou au kirsch, de fruits confits, de marmelade d'abricots et d'une crème aux œufs.

Éclair : petite pâtisserie allongée, en pâte à choux, fourrée de crème pâtissière et glacée au fondant.

Far breton : flan aux pruneaux qui se mange tiède ou froid. À l'origine, le far, très populaire dans toute la Bretagne, désignait une bouillie de farine de blé dur, de froment ou de sarrasin, salée ou sucrée à laquelle on ajoutait des fruits secs. On le cuisait traditionnellement non dans un plat, mais dans un "sac" ou une "poche" de toile.

Financier : petit gâteau rectangulaire fait d'une pâte à biscuit enrichie de poudre d'amandes et de blanc d'œuf.

Flan : tarte salée ou sucrée garnie d'un mélange de farine, sucre, œufs, beurre fondu, sel et sucre vanillé.

Fondant : sirop de sucre additionné de glucose, cuit "au boulé" et travaillé à la spatule jusqu'à ce qu'il devienne une pâte épaisse et opaque que l'on pétrit à la main. Il est surtout utilisé en confiserie et sert à glacer génoises, éclairs, choux, mille-feuilles...

Forêt-noire : gâteau réalisé avec des abaisses de pâte chocolatée, de la crème Chantilly et des cerises à l'eau-de-vie, le tout recouvert de copeaux de chocolat.

Fraisier : gâteau fait de deux abaisses carrées de génoise, humectées au sirop de kirsch, posées l'une sur l'autre, séparées par une couche de crème au beurre parfumée au kirsch et sur laquelle on dispose des fraises fraîches. Le dessus du gâteau est recouvert de crème au beurre colorée au carmin (ou de pâte d'amandes) et décoré de fraises.

Frangipane : crème cuite faite de lait, de sucre, de farine, d'œufs et de beurre additionnés de macarons écrasés ou d'amandes en poudre, à laquelle on peut ajouter quelques gouttes d'amande amère.

Fruits confits : fruits entiers ou en morceaux, conservés au sucre avec des passages successifs dans des bains de sirop de plus en plus concentrés ; peu à peu, le sirop se substitue à l'eau de constitution des fruits. Souvent on les glace pour améliorer leur présentation et les rendre moins collants. On peut confire des fruits nobles (abricots, fraises, prunes, figues, ananas), des écorces (orange, cédrat) ou de l'angélique.

Fruits déguisés : petits fours faits de fruits soit glacés au caramel, soit trempés dans du fondant ou encore fourrés et décorés de pâte d'amandes.

Ganache : crème de pâtisserie à base de chocolat, de beurre et de crème fraîche, utilisée pour garnir des entremets, fourrer des gâteaux ou des bonbons.

Gâteau ou galette des rois : pâtisserie traditionnelle du jour de l'Épiphanie. Dans le Nord, c'est une galette fourrée à la frangipane ou à la crème d'amandes ; dans le Sud, c'est un gâteau brioché, souvent garni de fruits confits ou parfumé à l'eau-de-vie ou à la fleur d'oranger.

Gaufre : pâtisserie mince et légère, alvéolée, de forme variable. La pâte est faite de farine, de beurre, de sucre, d'œufs et de lait, avec un parfum : vanille ou fleur d'oranger, mais aussi cannelle, anis, eau-de-vie ou zeste d'agrume.

Génoise : pâtisserie légère qui tient son nom de la ville de Gênes. La pâte à génoise est faite d'œufs battus à chaud avec du sucre, additionnés de farine et de beurre fondu. On peut lui ajouter de la poudre d'amandes ou des fruits confits, la parfumer à la liqueur, à la vanille.

Gianduja : mélange très onctueux de chocolat, de sucre glace et d'amandes grillées, broyées et incorporées à sec et à cru.

Glace plombière : nom d'un entremets glacé à base de crème anglaise au lait d'amandes, généralement enrichie de crème fouettée et additionnée de fruits confits macérés dans du kirsch.

Glace royale : on ajoute du sucre à des blancs d'œufs, en remuant. On y verse quelques gouttes de jus de citron filtré. Cette glace royale est utilisée sur diverses spécialités, notamment le calisson.

Guimauve : la pâte de guimauve est une dissolution de gomme battue avec du blanc d'œuf et du sucre. Parfumée et colorée, elle se présente en longs bâtons souples.

Halva : confiserie orientale à base de graines de sésame torréfiées et malaxées en pâte fine, à laquelle on ajoute du sucre cuit.

Jalousie : petit gâteau feuilleté rectangulaire fourré de frangipane vanillée, dont le dessus ajouré évoque la jalousie d'une fenêtre.

Jésuite : petit gâteau feuilleté triangulaire, fourré de frangipane et couvert de glace royale.

Kugelhopf : brioche alsacienne garnie de raisins secs, moulée en couronne haute et torsadée.

Kouign-amann : gâteau breton de la région de Douarnenez dont le nom signifie "pain au beurre". C'est une grosse galette de pâte à pain à laquelle on incorpore du beurre demi-sel ; elle est ensuite cuite à feu vif et caramélisée au sucre, et se sert de préférence tiède.

Linzertorte : pâtisserie autrichienne faite de pâte sablée, parfumée au citron et à la cannelle, garnie de confiture de framboise et décorée de croisillons de pâte.

Loukoum : confiserie orientale à base de sucre, de miel, de sirop de glucose et de farine, aromatisée, colorée le plus souvent en rose ou en vert et parfois garnie de pistaches, d'amandes, de pignons ou de noisettes. De consistance élastique, très sucré, le loukoum se présente en gros cubes poudrés de sucre glace.

Macaron : petit gâteau rond, croquant à l'extérieur et moelleux à l'intérieur, fait d'une pâte à base d'amandes pilées, de sucre et de blancs d'œufs, le plus souvent parfumés au chocolat, à la fraise, à la pistache, au café. Les macarons sont généralement présentés accolés par deux.

Madeleine : petite pâtisserie en forme de coquille bombée, faite de sucre, de farine, de beurre fondu et d'œufs, parfumée au citron ou à l'eau de fleur d'oranger. La pâte est cuite dans des moules ovales et striés qui donnent aux gâteaux l'apparence de coquilles. C'est le "petit coquillage de pâtisserie, si grassement sensuel sous son plissage sévère et dévot", cher à Proust.

Marquise : entremets glacé à base de chocolat, de beurre fin, d'œufs et de sucre. Elle est moulée à froid et se sert avec une crème anglaise à la vanille ou une chantilly.

Massepain : petite confiserie à base d'amandes pilées, de sucre et de blanc d'œufs, colorée et aromatisée. Elle est le plus souvent glacée au sucre ou pralinée.

Mendiant : nom donné à un assortiment de quatre fruits secs, amandes, figues, noisettes et raisins, que l'on peut enrober de chocolat.

Meringue : on en distingue trois variétés.

→ Meringue italienne : se réalise en versant du sucre cuit sur des blancs d'œufs battus. Elle sert à finir la zuppa inglese et la polonaise, ainsi que la tarte au citron.

→ Meringue ordinaire : blancs d'œufs fouettés auxquels on incorpore du sucre. Cuite au four, elle produit les fonds de vacherins. Si on y ajoute des amandes ou des noisettes pilées, on obtient les fonds à progrès, à succès ou à dacquoise.

→ Meringue sur le feu : moins légère mais moins cassante que la meringue ordinaire, elle se prépare en montant à feu doux les blancs avec le sucre, puis en cuisant le tout au four.

Mille-feuille : gâteau fait de minces abaisses de pâte feuilletée, superposées, séparées par de la crème pâtissière au kirsch ou au rhum, le dessus étant recouvert de sucre glace ou de fondant.

Moka : gâteau composé d'abaisses de génoise ou de biscuit séparées par des couches de crème au beurre parfumée au café ou au chocolat. Cette pâtisserie fut sans doute créée à l'époque où l'infusion de café fut introduite en France.

Mont-blanc : entremets froid, fait de purée de marrons vanillée, surmonté d'un dôme de chantilly et décoré. La chantilly peut aussi être entourée d'une bordure de purée de marron sucrée et dressée sur un disque de meringue.

Muffin : petit pain au lait rond, originaire de Grande-Bretagne, que l'on sert chaud pour le thé avec du beurre et de la confiture.

Nonnette : petit pain d'épices très moelleux, rond ou ovale, recouvert de glaçage et souvent fourré de marmelade d'oranges.

Opéra : il fut créé au début du siècle par le pâtissier Louis Clichy. Il est fait de minces feuilles de biscuit aux amandes blanches, imbibées d'un sirop au café, contenant une crème légère au café et une fine ganache au beurre des Charentes. Il est ensuite glacé au chocolat et décoré de feuilles d'or. C'est le gâteau classique par excellence.

Pain d'épices : gâteau de pâte levée à base de farine, de miel et d'amandes. Il gagne à être enrichi de parfums divers. Sa personnalité tient d'abord à la qualité du miel : miel coloré mille fleurs, miel de sarrasin ou de bruyère. On emploie généralement de la farine de froment, parfois mélangée avec de la farine de seigle et, comme parfum, de l'eau de fleur d'oranger, du gingembre, du zeste d'orange ou de citron, de l'anis étoilé ou de la cannelle. Le dessus du gâteau peut être décoré, après cuisson, de morceaux d'angélique, de cerneaux de noix ou de morceaux d'oranges confites.

Pain de Gênes : grosse pâtisserie en pâte à biscuit, riche en beurre et en amandes pilées. Plus ou moins léger selon que les blancs d'œufs sont incorporés ou non séparément, montés en neige, le pain de Gênes se cuit traditionnellement dans un moule rondet plat à bord cannelé.

Panettone : gros gâteau brioché italien, spécialité de la ville de Milan. Il est fait d'une pâte levée, enrichie de jaunes d'œufs qui lui donnent sa couleur et agrémentée de raisins secs, de zestes d'orange et de citron confit. Cette pâte est mise à lever à four doux, puis cuite dans un moule cylindrique.

Parfait : entremets glacé, caractérisé par une proportion importante de crème fraîche qui lui donne son onctuosité et sa tenue. À l'origine, le parfait était une crème glacée au café ; aujourd'hui, la préparation de base est une crème anglaise, un sirop additionné de jaunes d'œufs ou une purée de fruits auxquels on ajoute ensuite la crème fraîche.

Paris-brest : gâteau en forme de couronne, fait de pâte à choux, fourré de crème pralinée et parsemé d'amandes effilées. C'est un pâtissier qui se trouvait sur le parcours de la course cycliste entre Paris et Brest qui eut l'idée de confectionner en rond des éclairs de grande taille, afin d'évoquer les roues de bicyclette.

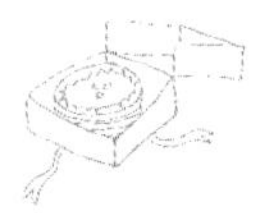

Pastis : nom de différentes pâtisseries du Sud-Ouest, dérivant du mot pâté. Ce peut être une brioche ou un gâteau de pâte levée, ou bien un gâteau fait de pâte imbibée de graisse d'oie et garnie de pommes macérées dans le cognac.

Patate : gâteau composé d'un biscuit au chocolat et au rhum, agrémenté de raisins secs et de pâte d'amandes.

Petit boulé : étape de la cuisson du sucre, qui en comporte onze – nappé, petit filet, grand filet, petit perlé, grand perlé, petit boulé, grand boulé, petit cassé, grand cassé, caramel clair, et caramel brun ou foncé. À l'étape du petit boulé, le sucre trempé dans de l'eau froide forme une boule molle ; on l'emploie ainsi dans les confitures et gelées, les caramels mous, les nougats, la meringue italienne.

Pets-de-nonne : beignets de pâte à choux, gros comme une noix, cuits dans une friture pas trop chaude, donnant une boulette légère et très gonflée.

Pithiviers : grosse pièce de pâtisserie feuilletée, de forme ronde, aux bords festonnés, fourrée de crème aux amandes. Cette spécialité de la ville de Pithiviers fait traditionnellement office de gâteau des rois pour l'Épiphanie. Elle est alors garnie d'une fève.

Polonaise : pâtisserie constituée d'une brioche imbibée de rhum ou de kirsch, farcie de fruits confits additionnés de crème pâtissière, recouverte de meringue à l'italienne et d'amandes effilées.

Pudding : entremets sucré d'origine anglaise, chaud ou froid, à base de pâte, de mie de pain, de riz ou de semoule, agrémenté de fruits frais, secs ou confits et d'épices, le tout lié avec des œufs ou une crème, et servi avec une sauce aux fruits ou une crème anglaise.

Puits d'amour : petite pâtisserie ronde faite de deux abaisses de feuilletage superposées ; la seconde est évidée et garnie en son centre, après cuisson, de confiture ou de crème pâtissière vanillée ou pralinée.

Religieuse : pâtisserie composée d'un gros chou fourré de crème pâtissière, surmonté d'un chou plus petit, glacé au fondant puis décoré de crème au beurre. Originaire de Paris, la religieuse doit son nom aux pointes de crème qui ressemblent à la collerette d'une religieuse.

Sabayon : entremets d'origine italienne, fait d'une crème fluide et onctueuse à base de vin, de sucre et de jaunes d'œufs. Il peut napper un pudding, un entremets au riz, des fruits pochés ou une pâtisserie, voire une glace.

Sablé : petit gâteau sec et friable, fait de farine, de beurre, de jaunes d'œufs et de sucre, mélangés rapidement jusqu'à consistance sableuse. On peut les parfumer au citron, les agrémenter d'amandes effilées ou de raisins secs, les glacer au chocolat ou les garnir de confiture.

Sachertorte : gâteau viennois créé par Franz Sacher, chef pâtissier du prince de Metternich, à l'occasion du congrès de Vienne de 1814. C'est une sorte de gâteau de Savoie chocolaté, fourré ou recouvert de marmelade d'abricots, puis glacé au chocolat. Par extension, la sachertorte peut être préparée avec de la confiture de framboises.

Saint-honoré : pâtisserie composée d'une abaisse de pâte brisée ou feuilletée, sur laquelle est dressée une couronne de pâte à choux, elle-même garnie de petits choux glacés au caramel. L'intérieur de la couronne est rempli de crème Chiboust.

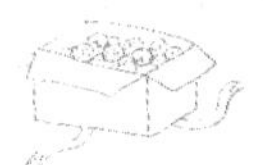

Savarin : gros gâteau fait de pâte à baba sans raisins secs. Moulé en couronne et arrosé après cuisson de sirop de sucre parfumé au rhum, il est garni de crème (pâtissière ou chantilly), de fruits frais ou confits.

Scone : petit pain rond de pâte levée, d'origine écossaise. Mou et blanc à l'intérieur, avec une croûte très brune, il se mange au petit déjeuner ou pour le thé.

Soufflé : préparation que l'on sert chaude, sitôt sortie du four, débordant en hauteur du moule où elle a cuit. Les soufflés préparés avec des fruits ont pour base du sucre cuit au grand cassé, auquel on ajoute une purée de fruits ; la cuisson se poursuit ensuite jusqu'au boulé ; les blancs en neige sont mélangés au fouet avec les fruits. Souvent, le parfum de fruit est renforcé avec de l'alcool ou de la liqueur et le soufflé est recouvert de sucre glace qui caramélise à la cuisson.

Strudel : pâtisserie roulée, diversement fourrée, dont le nom signifie tourbillon. La pâte poudrée de chapelure et d'amandes pilées est roulée en enfermant la garniture, le plus souvent des pommes à la cannelle et aux raisins secs.

Succès : gâteau rond fait de deux fonds en pâte meringuée aux amandes, séparés par une couche de crème au beurre pralinée.

Tarte coup de soleil : gâteau comprenant un fond de pâte sablée aux amandes sur lequel on place des demi-poires Williams recouvertes de crème pâtissière vanillée puis caramélisée.

Tarte normande : tarte aux pommes dont la crème est agrémentée de poudre d'amandes.

Tarte Tatin : tarte renversée, faite avec de gros morceaux de pommes revenus dans du beurre et qui caramélisent à la cuisson.

Tiramisu : gâteau italien à base de mascarpone, de sucre, d'œufs entiers, d'amaretto et de café, saupoudré de cacao amer.

Tropézienne : brioche fourrée d'une crème légère à la vanille, recouverte de grains de sucre.

Vacherin : entremets glacé fait d'une couronne de meringue ou de pâte aux amandes, garnie de glace et de chantilly. Il doit son nom à sa forme et à sa couleur qui rappellent le fromage du même nom.

Vatrouchka : gâteau russe au fromage blanc, fait d'un fond de tarte en pâte sablée, garni d'un mélange d'œufs, de sucre, de fruits confits, de fromage blanc égoutté, recouvert de croisillons de pâte et saupoudré de sucre.

Zuppa inglese : entremets dû aux pâtissiers-glaciers napolitains venus s'installer dans les grandes villes d'Europe au siècle dernier, inspiré des puddings anglais très en vogue à l'époque. C'est une génoise imbibée de kirsch, fourrée de crème pâtissière et de fruits confits macérés dans du kirsch ou du marasquin, puis recouverte de meringue italienne, et dorée au four.

3

Les palmarès

Palmarès des meilleurs produits

Nous avons essayé de diversifier nos choix dans ce palmarès des meilleures pâtisseries et chocolats, et de tenir compte de la variété des établissements parisiens.

Baba au rhum : Blé Sucré (12e), Jean Millet (7e), Stohrer (2e).
Bisounours : le Plaza Athénée (8e).
Cake à l'orange : la Petite Rose (8e), le Quartier du pain (14e, 15e, 17e).
Calisson : Pain de Sucre (3e), Puyricard (6e, 7e).
Cannelé : la Fournée d'Augustine (14e), Pâtisserie Secco (7e).
Caramel au beurre salé : Denise Acabo - À l'étoile d'or (9e). Produit de Leroux à Quiberon.
Chausson aux pommes : Des Gâteaux et du Pain (15e).
Cheese-cake : Pâtisserie Secco (7e).
Cheese-cake framboise : Des Gâteaux et du Pain (15e).
Cheese-cake fruits de la Passion et marmelade d'oranges : Pierre Hermé Paris (6e, 15e).
Confiture d'oranges amères : le Furet-Tanrade (10e).
Confiture de rhubarbe : Patrick Roger (6e, 16e).
Crème Chantilly : Raimo (12e).
Croissant : Des Gâteaux et du Pain (15e), le Quartier du pain (15e).
Croissant aux amandes : Gérard Mulot (6e), Jean Millet (7e), Ladurée (6e, 8e, 9e). Les trois recettes sont différentes.
Croissant aux noix et au citron : le Plaza Athénée (8e).
Éclair au caramel : la Maison du chocolat (6e, 8e, 9e, 16e).
Éclair au chocolat : Carette (16e), le Furet-Tanrade (10e).
Éclair au thé vert : Sadaharu Aoki (5e, 6e).
Flan : la Muscadette (12e), Pierre Hermé Paris (6e).
Fondant au cassis : Fouquet (8e, 9e).
Forêt-noire : la Pâtisserie Mauclerc (17e).
Ganache fenouil : la Maison du chocolat (6e, 8e, 9e, 16e).
Gâteau au fromage blanc : Florence Kahn (4e).

Gâteau au pavot : Florence Kahn (4e).
Glace à la vanille : À la mère de famille (9e), Christian Constant (6e), Pascal le glacier (16e).
Glace au cappuccino : la Tropicale (13e).
Glace au nougat : Raimo (12e).
Glace au pain d'épices : Berthillon (4e).
Guimauve à la violette : À la mère de famille (9e).
Guimauve au chocolat blanc : Pierre Marcolini (6e).
Guimauve au thé matcha : Pain de Sucre (3e).
Kouing-amann : le Petit Duc (14e).
Kugelhopf : Laurent Duchêne (13e), Pierre Hermé Paris (6e).
Linzertorte : le Valentin (9e).
Macaron à l'orange : Ladurée (6e, 8e, 9e).
Macaron à la fleur d'oranger : Ladurée (6e, 8e, 9e).
Macaron à la pistache : Fauchon (8e).
Macaron à la vanille : Ladurée (6e, 8e, 9e).
Macaron au citron : Ladurée (6e, 8e, 9e).
Macaron au marron au thé vert : Pierre Hermé Paris (6e, 15e).
Macaron chocolat-fruits de la Passion : Pierre Hermé Paris (6e, 15e).
Macaron menthe-chocolat : Pain de Sucre (3e).
Macaron nature : À la mère de famille (9e).
Mille-feuille : la Petite Rose (8e), Sadaharu Aoki (5e, 6e).
Mille-feuille chocolat : Jean-Paul Hévin (1er, 6e, 7e).
Mille-feuille vanille : Stéphane Vandermeersch (12e).
Mirliton : Arnaud Delmontel (9e).
Mont-blanc : Sadaharu Aoki (5e, 6e).
Noix enrobée de fondant au café : Fouquet (8e, 9e).
Nonnettes : le Valentin (9e).
Opéra : Lenôtre (8e, 15e, 16e, 17e).
Pain au chocolat : la Fournée d'Augustine (14e), Jean Millet (7e).
Palet d'or (ganache nature) : Fauchon (8e).
Palet fin : Pierre Marcolini (6e).
Pâte de fruits : Des Gâteaux et du Pain (15e).
Polonaise : Jean Millet (7e).

Puits d'amour : Stohrer (2e).
Religieuse à la poire : le Plaza Athénée (8e).
Religieuse au caramel au beurre salé :
Des Gâteaux et du Pain (15e).
Rocher : la Maison du chocolat (6e, 8e, 9e, 16e),
Michel Chaudun (7e).
Sachertorte : la Pâtisserie Mauclerc (17e).
Saint-honoré : Dalloyau (6e, 15e, 17e).
Sirop d'eau de fleur d'oranger : Fouquet (8e, 9e).
Sorbet à la rhubarbe : Pascal le glacier (16e).
Sorbet au cacao : Jean-Paul Hévin (1er, 6e, 7e).
Sorbet au cassis : Berthillon (4e), Christian Constant (6e, 9e).
Sorbet aux fraises des bois : la Butte glacée (18e).
Sorbet cacao-raisins au whisky : Christian Constant (6e, 9e).
Spéculoos : Pain de Sucre (3e).
Strudel : Florence Kahn (4e).
Tablette fèves-cacao : Michel Chaudun (7e).
Tarte à l'orange : Gérard Mulot (6e),
Jean-Paul Hévin (1er, 6e, 7e).
Tarte au café : Pierre Hermé Paris (6e).
Tarte au chocolat : Jean-Paul Hévin (1er, 6e, 7e).
Tarte au citron : Boissier (16e), la Petite Rose (8e).
Tarte aux figues et au café : Pain de Sucre (3e).
Tarte aux poires et aux épices : Des Gâteaux et du Pain (15e).
Tarte aux pommes et au caramel :
Stéphane Vandermeersch (12e).
Tarte aux trois agrumes : les Petits Mitrons (18e).
Tarte bourdaloue : l'Écureuil (17e).
Tarte yuzu : Sadaharu Aoki (5e, 6e).

Palmarès des créations originales

INFINIMENT VANILLE
Pierre Hermé Paris (6e)

OPÉRA AU THÉ VERT
Sadaharu Aoki (5e, 6e)

PABLITO
Pain de Sucre (3e)

SAINT-HONORÉ À LA VIOLETTE
Des Gâteaux et du Pain (15e)

TARTE AUX POIRES AU VIN
Arnaud Delmontel (9e)

VALENTIN
La Petite Rose (8e)

Les gâteaux sont décrits dans les notices.

Palmarès des meilleures adresses

DES GÂTEAUX ET DU PAIN (15e)

JEAN MILLET (7e)

MICHEL CHAUDUN (7e)

PAIN DE SUCRE (3e)

PASCAL LE GLACIER (16e)

PATRICK ROGER (6e, 16e)

LA PETITE ROSE (8e)

PIERRE HERMÉ PARIS (6e)

PIERRE MARCOLINI (6e)

LE PLAZA ATHÉNÉE (8e)

SADAHARU AOKI (5e, 6e)

Index

Index

Dans la même collection

100 sorties cool avec les enfants
À chacun son café
À chacun son resto
Acheter de l'art à Paris
Avoir un chat à Paris
Belle et bio à Paris
Bien naître à Paris
Chanter à Paris
Chic et jolie à petits prix
Comment arrondir ses fins de mois à Paris
Comment devenir une vraie Parisienne
Cuisiner comme un chef à Paris
Découvrir les sciences à Paris
Être bénévole à Paris
Faire du cheval à Paris
Guide de survie de l'étudiant parisien
Jolis hôtels de Paris à petits prix
L'Afrique à Paris
L'art contemporain à Paris
L'Asie à Paris
La photographie à Paris
Le guide du soutien scolaire
Le jazz à Paris
Le thé à Paris
Les cantines des Parisiennes
Les meilleurs bars de Paris
Les meilleurs brunchs de Paris
Les meilleurs dépôts-ventes de Paris
Les meilleurs massages de Paris
Les meilleurs restos à petits prix
Les meilleurs restos exotiques de Paris
Les meilleurs voyants de Paris
Les mercredis des petits Parisiens
Nuits blanches à Paris
Organiser une fête à Paris
Où s'embrasser à Paris
Où trouver le calme à Paris
Paris anti-stress
Paris bio
Paris brico-déco
Paris Chocolat
Paris cinéphile
Paris de fil en aiguille
Paris Design
Paris en bouteilles
Paris en fauteuil
Paris Gourmandises
Paris Latino et ibérique
Paris des libres savoirs
Paris récup'
Paris rétro
Paris Vintage
Paris (vraiment) gratis
S'épanouir à Paris
SOS Parisiens débordés
SOS Jeune mère parisienne
The Best Places to Kiss in Paris
Trouver un appart' à Paris
Trouver un Jules à Paris
Un tour à la campagne
Vivre mieux pour moins cher à Paris
Week-ends de charme à petits prix

ISBN : 978-2-84096-630-2
Dépôt légal : juin 2009
Achevé d'imprimer en mai 2009
dans les ateliers de Sagim, à Courtry
N° d'impression : 11425

Avec la collaboration de Laurence Alvado